Nicholas Cronk

Paris 24·ii·93

La petite maison

Jean-François de Bastide

La petite maison

Projet graphique :
Pier Luigi Cerri.

Document de couverture : Jean-Baptiste Oudry, *Le tabouret
de laque* (détail), 1742. Galerie Cailleux, Paris.

Frontispice et pages intérieures : *Élévations et coupe du Pavillon
de Vénus dans l'île d'Amour*. Album d'aquarelles peint par
Chambé, 1782. Musée Condé, Chantilly.
Photos © Giraudon.

Le texte adopté pour la présente édition est celui qu'établit
le Bibliophile Jacob pour la Librairie des Bibliophiles, Paris,
1879.

Note de l'Éditeur

À Mrs. M.H.

En 1814, Isaac Disraeli, père de l'honorable Benjamin que devait chérir Victoria au point de le qualifier d'un vertigineux « Dizzy », consacra un épais et fascinant traité à la passion cardinale des littérateurs : la haine. Une haine que je qualifierai d'héraldique : bilieuse, entière, aussi vide qu'absolue, infantile que nécessaire.

The Quarells of Authors [1] est l'un de ces ouvrages superbement excentriques, que leur bizarrerie même protège des attaques du temps : objet de prédilection d'une secrète confrérie de lecteurs, perdurant tranquillement de siècle en siècle (au

---

1. Disraeli y adjoignit plus tard des *Calamities of Authors,* un *Character of James I*, et un *Literary Character* (sous le titre de *Miscellanies of Literature*, Londres, 1840).

même titre, par exemple, que l'*Anatomie de la mélancolie* de Burton, *Les urnes funéraires* de Sir Thomas Browne ou les *Lettres sur les terres parfumées* du délicat Lorenzo Magalotti).

Ces *Quarells* offrent une rafraîchissante rhapsodie de scribouillards, aux passions irrémédiablement déplacées, de tristes cas d'auteurs « au génie et à l'érudition victimes d'une vanité immodérée », sujets à des « vestiges littéraires entraînant des troubles de l'intellect » — je cite là quelques titres de chapitres —, ou persuadés d'être la proie d'un complot — c'est-à-dire de l'incompréhension — universel.

C'est une lecture inépuisable, toujours surprenante, salutaire pour ne pas dire exemplaire à un moment où les écrivains majeurs, les œuvres définitives, les livres événements, les maîtres de tout acabit déboulent quotidiennement ajoutant à la morne liste des lectures obligées.

Jean-François de Bastide brille par son absence dans les pages subtilement insinuatrices de Disraeli, lui qui eut à souffrir plus que tout autre de la rancœur de ses confrères, au point d'en disparaître totalement de l'histoire littéraire. Je rassemble ici quelques jugements à son sujet démontrant la violence du sentiment qu'il suscita :

« Malgré son activité à s'exercer dans tous les genres, il n'a pas eu le bonheur de sauver aucun de ses ouvrages de l'anathème attaché à la médiocrité (...) Est-ce pour avoir manqué d'esprit ou de facilité que M. de Bastide a subi son triste sort? Non, c'est parce que son esprit et sa facilité se sont répandus trop indiscrètement sur tous les genres, indiscrétion qui produit toujours beaucoup de choses, jamais de bonnes choses, et ce n'est qu'à ce qui est bon que le public s'attache » (Sabatier de Castres, *Les trois siècles de la littérature française,* Paris, De Hansi, 1774 [1]).

« On trouve dans ces ouvrages de l'esprit, de la facilité, de l'agrément; mais jamais de caractère, jamais rien de senti, rien d'approfondi » (Barbier, *Examen critique et complément des Dictionnaires historiques les plus répandus,* Paris, 1820, t. 1, 87).

---

1. Je reprends le passage de la citation faite par Le Bibliophile Jacob dans sa réédition de *La petite maison,* Paris, Librairie des Bibliophiles, 1879, 3).

« Encouragé par des amis complaisants, il se jeta sans réflexion, dans le genre qui donnait des acheteurs, sans trop s'inquiéter s'il donnait aussi la réputation (...) les ouvrages de de Bastide sont fort superficiels et lui attirèrent de nombreuses critiques » (Hoefer, *Nouvelle biographie générale depuis les temps les plus reculés jusqu'à 1850-60*, Rosenkilde et Bagger, Copenhague, 1964, 722-723).

De fait, l'entrée consacrée à Bastide par Cioranescu dans sa *Bibliographie du XVIIIᵉ siècle* (Paris, 1969) ne compte pas moins de quarante-cinq occurrences ; et cette seule masse semble appeler le sec constat du Bibliophile Jacob : « de tant de volumes et de brochures, de tant d'œuvres diverses, conçues, exécutées, publiées à la hâte, que reste-t-il ?... Pas même un nom durable, conservé dans la mémoire des amis des lettres ! à peine un vague souvenir bibliographique ! »

Pourtant, aucun genre ne fut étranger au polygraphe indiscret. Sublime incarnation du médiocre, idéale figure de littérateur, il fut tour à tour conteur, critique, romancier, mémorialiste, auteur comique, puis tragique, compilateur, poète. Que rien, ou presque, n'en reste tient sans doute à la malveillance dont il fut la victime contrariée ; cela tient aussi à la coutume, régulière pour l'époque, mais que l'on ne considérera pas sans nostalgie, qu'avait Bastide de publier « sous le voile de l'anonyme », voile vite devenu opaque, et que nous pouvons déchirer grâce à l'admirable *Dictionnaire des ouvrages anonymes et pseudonymes* qu'Antoine Alexandre Barbier publia avant son *Complément* de 1820.

J'énumère ici quelques-uns des ouvrages de Bastide, dont certains montrent qu'il ne pouvait être foncièrement mauvais, avant d'entrer dans le détail de ce qui fut moins qu'une conjuration et plus que quelques méchancetés.

Il débuta, à vingt-six ans, sans se troubler, par *Les Confessions d'un fat* (2 vol. in-12, 1749) ; suivirent *Le tribunal de l'amour,* la même année, et *Le désenchantement inespéré, comédie morale,* un an plus tard ; puis (parmi d'autres) : *Le faux oracle et l'illusion d'un instant, anecdotes* (Londres, 1792), *Les têtes folles* (Londres, 1753), *La trentaine de Cythère* (Londres, 1753), *Le beau plaisir, conte qui ressemble à la vérité* (dans le *Mercure* d'avril 1756), *Les aventures de Victoire Ponty*

(Amsterdam, 1756 [1]); des *Contes* (en 1763), qui eurent, comme on le verra, un rôle dans son infortune, et dont fait partie *La petite maison,* etc. « On doit rapporter à peu près à la même époque de la vie de M. de Bastide, écrit Barbier, dix ouvrages de théâtre, soit en vers, soit en prose, dont plusieurs en cinq actes, et qui ont tous été joués à Paris, en province ou chez l'étranger, suivant les temps et les circonstances où ils furent composés. »

Vers 1755, Bastide dut se découvrir un nouveau registre, si j'en juge à l'apparence de certains titres, et à un addisonnien *Spectateur* dont les huit volumes précipitèrent entre 1758 et 1760. Les dissimulations rococo font subitement place à l'*Être pensant* (Amsterdam, 1755), aux *Choses comme on doit les voir* (Londres, 1757) et aux quatre volumes du *Monde comme il est* (1760). Sans doute portée par cette nouvelle furie, une comédie de 1762 s'intitule *L'Épreuve de la probité.* Il y eut aussi dans la même veine deux volumes d'*Élixir littéraire* (1766), une *Lettre à*

---

1. Cioranescu fait inexplicablement de cette *Victoire* un *Victor* (*Bibliographie du* XVIIIᵉ *siècle,* 3 vol., Paris, 1969).

M. *Rousseau* (1768), des *Réflexions philosophiques* (1770), suivies de nouvelles *Réflexions,* un *Dictionnaire des mœurs* (1773) et des *Variétés littéraires,* publiées à Amsterdam en 1774 [1].

« On ne peut disconvenir, constate prudemment Barbier, que ces ouvrages ne soient remplis de réflexions morales, de faits intéressants, de sentiments nobles, de vues utiles », avant d'assener sans ménagement au lecteur : « M. de Bastide annonça dès 1760 que les recherches d'érudition ne lui étaient pas étrangères... »

Comme il n'était apparemment pas homme à parler à la légère, il ne sortit pas moins de plusieurs centaines de volumes d'une telle résolution. Bastide eut d'abord l'idée de rassembler une collection du *Choix des Mercures et autres journaux français et étrangers* : elle finit, selon

___

1. On ajoutera à cette liste *La morale de l'histoire* (3 vol. in-12 publiés en 1769 sous le nom de M. de Mopinot, lieutenant-colonel de cavalerie). Je cite Barbier : « Cet ouvrage devait avoir vingt volumes auxquels l'auteur attachait beaucoup d'importance. Fréron rendit un compte avantageux du premier dans son *Année littéraire,* sans désigner l'éditeur, M. de Bastide, qui avait gardé l'anonyme. » (*Examen critique..., op. cit.,* I, 89-90).

Barbier, par occuper cent huit volumes dont plus de soixante étaient dus au polygraphe lui-même [1]. Point épuisé, ayant quelques années plus tard, fait la rencontre du Marquis de Paulmy, il entreprit, sous la conduite de ce dernier, de mettre au point une gigantesque *Bibliothèque des romans* : cent douze volumes s'étagèrent ainsi de juillet 1775 à juin 1789, laissés à la seule responsabilité de Bastide à partir de 1779 [2]. Les trois quarts des notes contenues dans les trente premiers volumes lui sont attribuées; abnégation que Barbier récompense de ce seul commentaire : « On y remarque beaucoup d'inexactitudes [3]. »

Plein d'une louable discrétion, Bastide n'inclut pas dans ce *magnum opus* ses propres *Contes,* qui avaient pourtant rencontré un certain succès, et qui devaient indirectement contribuer à son ef-

---

1. Plus contrainte, la bibliographie de Cioranescu n'enregistre que quinze volumes, sous cette rubrique, qui plus est publiés entre 1757 et 1758. Il reviendra à un futur érudit d'ordonner un peu ces calculs erratiques.

2. Bibliophile Jacob, *op. cit.,* 6.

3. Cioranescu n'enregistre qu'une édition in-quarto de *La bibliothèque des romans,* dont Bastide ne donna que deux volumes, *op. cit.,* 291.

facement des histoires littéraires. Je recense enfin quelques-unes des malveillances et des envies auxquelles le malheureux plumitif fut en butte au cours de son existence. Son plus grand tort fut sans doute d'indisposer par son succès Marmontel dont les *Contes moraux* ne parurent en volume qu'après les siens; « Marmontel, poursuit Le Bibliophile Jacob, recommanda peu gracieusement à ses amis Grimm et Diderot, ainsi qu'aux autres membres de la coterie des philosophes, Bastide et ses *Contes,* de là les attaques redoutables et peu équitables dont étaient l'objet ses *Contes* agréables et quelquefois charmants qui n'avaient pas attendu ceux de Marmontel pour se faire lire avec plaisir [1]. »

Après avoir essuyé le jugement peu amène de Sabatier de Castres, Bastide, décidément en butte aux gestionnaires de la mémoire littéraire, eut à affronter un jugement encore plus définitif dans les *Mémoires pour servir à l'histoire de la littérature*

---

[1]. Il eut plus de chance, continue Jacob, avec Voltaire qui lui marqua quelque bienveillance; bienveillance qu'Hoefer interprète pour sa part ainsi : « Voltaire, entre autres, lui adressa en 1758 une lettre philosophique fort mordante » (*Nouvelle biographie..., op. cit.,* 723).

publiés par Palissot en 1777 : le silence. Silence qui n'était qu'hypocrite. Palissot, qui s'était « trop rappelé sans doute que Jean-François de Bastide l'avait souvent critiqué dans les journaux littéraires » (Bibliophile Jacob), attendit 1803, que Bastide ait disparu, et une nouvelle édition de ses *Mémoires* pour se dévoiler. Il fut pour le moins explicite, ne dédaignant pas même l'anecdote : « Auteur ingénieux à trouver des expédients pour se faire lire, il avait entrepris un *Spectateur français* qu'il proposa d'abord à trois livres par volume. Il en réduisit le prix à trente sols, ensuite à douze, et même à deux sols par feuille, que l'on distribuait aux portes cochères. Les Suisses avaient ordre de les refuser. » Pathétique exemple de commerce (ou de dévaluation) littéraire, aux yeux de Palissot, qui ne pouvait certes prévoir ce que le futur tenait en réserve quant à de tout autres opérations de mercantilisme littéraire.

Rien — pas l'ombre d'une psychologie, d'un tempérament, d'une humeur — ne nous reste de Bastide qui nous éclaire un peu sur la violence de l'animosité qu'il suscita. Fut-il, souverainement, le fat qu'annonce son premier livre? Un « simple scribouilleur », condamné à survivre, fût-ce comme tant d'autres, au prix d'« une superfluité de plus dans les bibliothèques », pour citer le vipérin Palissot? Joua-t-il d'une profonde malchance dans le jeu, aussi regrettable qu'éternel, des complicités littéraires? Contraria-t-il (ce qui est du moins probable) par la liberté avec laquelle il se donna la parole, faisant siennes, tel le chancelier Bacon, toutes les provinces du savoir? Ou fut-il la proie d'une véritable conjuration, dont les motifs nous resteront à tout jamais cachés?...

Nous ne savons en tout cas presque rien, une fois encore, de ses réactions. Fut-il aveugle à ce qui se tramait, indifférent aux intrigues, décidé à leur faire front, obsédé par elles, soucieux de sa seule survie? Un fait subsiste cependant, qui éclaire d'un faible jour son attitude. Vers l'âge de soixante ans, sans doute pour faire pièce à sa réputation de légèreté, et surtout pour réfuter la note sur son œuvre qui se trouvait dans le trente-septième volume du *Cabinet des fées* (note que je n'ai pas enregistrée

17

dans ma liste des calamités dont on l'accabla), Bastide résolut de porter aux yeux du monde l'ampleur d'une œuvre têtue que sa dispersion avait peut-être amoindrie.

« Il forma le projet, écrit Barbier, de choisir dans ses nombreux ouvrages de quoi former douze volumes in-8°. Le prospectus de cette louable entreprise parut en 1789; l'auteur l'accompagna de détails intéressants sur sa vie littéraire », principale source de la notice de Barbier, et par conséquent de ces pages. Le moment n'était pas le bon. Ce fut un cuisant échec, et « M. de Bastide n'eut donc pas la satisfaction de pouvoir justifier aux yeux du public impartial une vie presque entièrement consacrée aux Belles Lettres », laissant plutôt un invisible monument aux florides illusions que nourrit tout littérateur quant à sa stature et à celles des simulacres qu'il ourdit.

Un jour pourtant, Bastide rédigea quarante pages qui, seules des milliers qu'on lui doit [1],

---

1. Si elles ne « firent rien pour sa gloire, elles furent très utiles à sa fortune », conclut prosaïquement Hoefer.

allaient lui assurer un nom, fût-il sans visage, signe vide flottant à la surface de l'histoire.

On a longtemps soutenu que *La petite maison* valait moins par son style que par son sujet : la description de l'intérieur d'un de ces financiers richissimes du moment. « C'est que l'auteur a fait entrer dans le cadre de son historiette beaucoup de détails techniques sur les arts décoratifs de l'époque, en ajoutant des notes relatives aux artistes qu'on employait alors pour la décoration des appartements de l'aristocratie et de la finance. Il serait possible que ces détails eussent été fournis par le célèbre architecte Blondel à Bastide, qui devint plus tard son collaborateur dans un roman fastidieux intitulé *L'homme du monde éclairé par les arts* [1]... »

Point contraire à l'idée de l'utilisation des textes à divers usages, Bastide fit reparaître *La petite maison,* dans le second tome de son *Nouveau spectateur* (Paris, 1758), puis dans le troisième volume de ses *Contes,* en 1763 ; c'est cette

---

1. Bibliophile Jacob, *op. cit.,* 10.

version que Paul Lacroix, alias Le Bibliophile Jacob, reprit en 1879 [1].

Une dernière poignée de détails. Jean-François de Bastide est né le 15 juillet 1724 (pour Barbier; le 18 juillet pour Hoefer; et le 15 mars pour Jacob) à Marseille. Il était le fils du lieutenant criminel de la ville. Il mourut déçu, à Milan, le 4 juillet 1798. Vers 1775, il se sentit la proie d'un grand découragement; ce qui avait été la passion, le ressort, le motif de son existence lui parut soudain vide; il cessa de croire à la nécessité de la comédie littéraire; il n'écrivit plus; il choisit de se transformer, pour finir, en compilateur à la solde des libraires. Il enregistrait sourdement ce que d'autres avaient écrit; il n'est pas interdit de penser qu'il les saluait ainsi d'un souverain, d'un méprisant désintérêt.

P . M .

1. Obéissant à on ne sait quelle loi du retour de l'histoire, une traduction italienne a paru à Palerme, par les soins de Barbara Briganti en 1991. Je n'ai pu y avoir accès pour la présente note.

La petite maison

Mélite vivoit familièrement avec les hommes, et il n'y avoit que les bonnes gens, ou ses amis intimes, qui ne la soupçonnassent pas de galanterie. Son air, ses propos légers, ses manieres libres, établissoient assez cette prévention. Le marquis de Trémicour avoit envie de l'engager, et s'étoit flatté d'y réussir aisément. C'est un homme qui doit attendre plus qu'un autre du caprice des femmes. Il est magnifique, généreux, plein d'esprit et de goût, et peu d'hommes peuvent se vanter à juste titre de l'égaler en agrémens. Malgré tant d'avantages, Mélite lui résistoit. Il ne concevoit pas cette bizarrerie. Elle lui disoit qu'elle étoit vertueuse, et il répondoit qu'il ne croiroit jamais qu'elle le fût. C'étoit entr'eux une guerre continuelle à ce sujet. Enfin, le marquis la défia de venir dans sa petite maison. Elle répondit qu'elle y viendroit, et que là, ni ailleurs, il ne lui seroit redoutable. Ils firent une gageure, et elle y alla (elle ne sçavoit pas ce que c'étoit que cette petite maison; elle n'en connoissoit même aucune que de nom). Nul lieu dans Paris, ni dans l'Europe, n'est ni aussi galant ni aussi ingénieux. Il faut l'y suivre avec le marquis, et voir comment elle se tirera d'affaire avec lui.

Cette maison unique est sur les bords de la Seine. Une avenue, conduisant à une patte d'oie, amene à la porte d'une jolie avant-cour tapissée de verdure, et qui de droite et de gauche communique à des basses-cours distribuées avec symétrie, dans lesquelles on trouve une ménagerie peuplée d'animaux rares et familiers, une jolie laiterie, ornée de marbres, de coquillages, et où des eaux abondantes et pures temperent la chaleur du jour; on y trouve aussi tout ce que l'entretien et la propreté des équipages, de même que les approvisionnemens d'une vie délicate et sensuelle, peuvent demander. Dans l'autre basse-cour sont placés une écurie double, un joli manege et un chenil où sont renfermés des chiens de toute espece.

Tous ces bâtimens sont contenus dans des murs de face d'une décoration simple, qui tiennent plus de la nature que de l'art, et représentent le caractere pastoral et champêtre. Des percées, ingénieusement ménagées, laissent appercevoir des vergers et des potagers constamment variés, et tous ces objets attirent si singulièrement les regards, qu'on est impatient de les admirer tour à tour.

Mélite avoit cette impatience, mais elle voulut d'abord parcourir les beautés qui la frappoient de plus près. Trémicour brûloit de la conduire dans les appartemens :

c'étoit là qu'il pouvoit lui expliquer sa flamme. Sa curiosité lui étoit déjà importune; les louanges même qu'elle donnoit à son goût ne le touchoient point; il y répondoit avec beaucoup de distraction. C'étoit pour la premiere fois que sa petite maison lui étoit moins chère que les objets qu'il y conduisoit. Mélite remarquoit sa contenance et en triomphoit; la curiosité l'eût seule engagée à tout voir, mais elle y pouvoit mettre de la malice, et ce second motif valoit bien l'autre pour s'y entêter. C'étoit ici une question qu'elle faisoit, là un compliment, et par-tout des exclamations.

« En vérité, disoit-elle, voilà qui est in-génieux au possible! Cela est charmant! Je n'ai rien vu...

— Oh! les appartemens sont bien plus singuliers! répondoit-il; vous allez voir... Ne voulez-vous pas entrer?...

— Dans un moment, reprenoit-elle; ceci a bien son prix : il faut tout parcourir; il y a là quelque chose que nous n'avons pas vu. Allons, Trémicour, point d'impatience.

— Je n'en ai point, Madame, dit-il un peu piqué : c'est pour votre intérêt que je parle. Vous vous fatiguerez ici à marcher, et vous ne pourrez plus...

— Oh! vous me pardonnerez, dit-elle avec un ton railleur; je suis venue ici uniquement pour marcher, et je sens mes forces. »

Il fallut qu'il essuyât cet entêtement jusqu'au bout. Il dura encore près d'un quart-d'heure. Heureusement il parvint à y soupçonner du caprice, sans quoi je crois qu'il l'auroit plantée là. Il la conduisoit par la main, et toujours il la tiroit vers la maison. Trois ou quatre fois de suite elle eut la méchanceté de se laisser entraîner jusqu'à un certain point; elle faisoit quelques pas, et elle revenoit pour examiner encore ce qu'elle avoit déjà examiné. Il l'entraînoit toujours, il paroissoit marcher sur des épines; elle en rioit intérieurement, et lui donnoit de ces regards qui, par un artifice unique, disent : « Je me plais à vous désespérer », en paroissant solliciter la complaisance. À la fin, une vivacité échappa à Trémicour. Elle feignit de ne le trouver pas bon, et lui dit qu'il étoit insupportable.

« C'est vous-même qui l'êtes! répondit-il; vous m'avez promis que vous verriez tout, et nous restons ici. J'aime mes appartemens, et je veux que vous les voyiez.

— Eh bien! Monsieur, il n'y a qu'à les voir; il ne faut point de querelle pour cela. Bon Dieu, que vous êtes prompt!... »

Le son de voix et le regard qui l'accompagnoit étoient si doux qu'il sentit augmenter le défaut qu'on lui reprochoit.

« Oui, dit-il, je suis prompt, je compte les momens. Nous venons ici avec des conventions qui m'en font une excuse... Vous les avez donc oubliées, Madame?

— Il n'y a point d'oubli à cela, répondit-elle en marchant; au contraire, je suis plus dans mon rôle que vous. Vous m'avez dit que votre maison me séduiroit; j'ai parié qu'elle ne me séduiroit pas. Croyez-vous que me livrer à tous ces charmes soit mériter le reproche d'infidélité?... »

Trémicour alloit répondre, mais ils étoient alors au milieu de la cour principale, et une exclamation qu'arracha à Mélite le simple coup d'œil qu'elle y donna ne lui en laissa pas le temps. Cette cour, quoique peu spacieuse, annonce le goût de l'architecte. Elle est entourée de murailles revêtues de palissades odoriférantes assez élevées pour rendre le corps-de-logis plus solitaire, mais élaguées de maniere qu'elles ne peuvent nuire à la salubrité de l'air que l'amour semble y porter. Il fallut encore que Trémicour dévorât ces complimens importuns que Mélite lui prodiguoit. Enfin ils arrivèrent au bas d'un perron qui conduit à un vestibule assez grand, d'où le marquis renvoya les valets au commun par un signe. Il la fit passer tout de suite dans un sallon donnant sur le jardin, et qui n'a rien d'égal dans l'univers. Il s'apperçut de la surprise de Mélite, et lui permit alors d'admirer. En effet, ce salon est si voluptueux qu'on y prend des idées de tendresse en croyant seulement en prêter au maître à qui il appartient. Il est de forme circulaire, voûté en calotte peinte par Hallé [1]; les lambris sont imprimés couleur de lilas, et enferment de très-belles glaces; les dessus de portes, peints par le même, représentent des sujets galans. La sculpture y est distribuée avec goût, et sa beauté est encore relevée par l'éclat de l'or. Les étoffes sont assorties : à la couleur du lambris. En un mot, le Carpentier [2] n'auroit rien ordonné de plus agréable et de plus parfait.

---

1. Un de nos peintres françois qui, après Boucher, s'est le plus signalé dans les sujets de la Fable.
2. L'un des architectes du roi qui entende le mieux la décoration des dedans. Le petit château de M. de la Boissière et la maison de M. Bouret prouvent son génie et son goût.

Le jour finissoit : un negre vint allumer trente bougies que portoient un lustre et des girandoles de porcelaine de Seve artistement arrangées et armées de supports de bronze dorés. Ce nouvel éclat de lumière, qui reflétoit dans les glaces, fit paroître le lieu plus grand et répéta à Trémicour l'objet de ses impatiens désirs.

Mélite, frappée de ce coup d'œil, commença à admirer sérieusement et à perdre l'envie de faire des malices à Trémicour. Comme elle avoit vécu sans coquetterie et sans amans, elle avoit mis à s'instruire le tems que les autres femmes mettent à aimer et à tromper, et elle avoit réellement du goût et des connoissances ; elle apprécioit d'un coup d'œil le talent des plus fameux artistes, et eux-mêmes devoient à son estime pour les chefs-d'œuvre cette immortalité que tant de femmes leur empêchent souvent de mériter par leur amour pour les riens. Elle vanta la légèreté du ciseau de l'ingénieux Pineau [1], qui avoit présidé à la sculpture; elle admira les talens de Dandrillon [2], qui avoit employé toute son industrie à ménager les finesses les plus imperceptibles de la menuiserie et de la sculpture; mais surtout, perdant de vue les importunités auxquelles elle s'exposoit de la part de Trémicour en lui donnant de la vanité, elle lui prodigua les louanges qu'il méritoit par son goût et son choix.

« Voilà qui me plaît, lui dit-elle; voilà comme j'aime qu'on emploie les avantages de la fortune. Ce n'est plus une petite maison : c'est le temple du génie et du goût...

– C'est ainsi que doit être l'asyle de l'amour, lui dit-il tendrement. Sans

---

1. Sculpteur célèbre pour les ornemens, et dont la plus grande partie des sculptures des appartemens de nos hôtels sont l'ouvrage.

2. Peintre qui a trouvé le secret de peindre les lambris sans odeur, et d'appliquer l'or sur la sculpture sans blanc d'apprêt.

connoître ce dieu, qui eût fait pour vous d'autres miracles, vous sentez que, pour l'inspirer, il faut du moins paroître inspiré par lui...

— Je le pense comme vous, reprit-elle; mais pourquoi donc, à ce que j'ai ouï dire, tant de petites maisons décèlent-elles un si mauvais goût?

— C'est que ceux qui les possèdent désirent sans aimer, répondit-il; c'est que l'amour n'avoit pas arrêté que vous y viendriez un jour avec eux. »

Mélite écoutoit, et auroit écouté encore si un baiser appuyé sur sa main ne lui eût appris que Trémicour étoit venu là pour se payer de toutes les choses obligeantes qu'il trouveroit occasion de lui dire. Elle se leva pour voir la suite des appartemens. Le marquis, qui l'avoit vue si touchée des seules beautés du sallon, et qui avoit mieux à lui montrer, espéra que des objets plus touchans la toucheroient davantage, et se garda bien de l'empêcher de courir à sa destinée. Il lui donna la main, et ils entrèrent à droite dans une chambre à coucher.

Cette piece est de forme quarrée et à pans; un lit d'étoffe de Péquin jonquille chamarrée des plus belles couleurs est enfermé dans une niche placée en face d'une des croisées qui donnent sur le jardin. On n'a point oublié de placer des glaces dans les quatre angles. Cette pièce, d'ailleurs, est terminée en voussure qui contient dans un quadre circulaire un tableau où Pierre [1] a peint avec tout son art Hercule dans les bras de Morphée, réveillé par l'Amour. Tous les lambris sont imprimés couleur de soufre tendre; le parquet est de marqueterie mêlée de bois d'amaranthe et de cèdre, les marbres de bleu turquin. De jolis bronzes et des porcelaines sont placés, avec choix et sans

_____

1. Un de nos célèbres peintres, qui par la force de son coloris a mérité un rang distingué dans l'école françoise.

confusion, sur des tables de marbre en console distribuées au-dessous des quatre glaces; enfin de jolis meubles de diverses formes, et des formes les plus relatives aux idées par-tout exprimées dans cette maison, forcent les esprits les plus froids à ressentir un peu de cette volupté qu'ils annoncent.

Mélite n'osoit plus rien louer; elle commençoit même à craindre de sentir. Elle ne dit que quelques mots, et Trémicour auroit pu s'en plaindre; mais il l'examinoit, et il avoit de bons yeux; il l'eût même remerciée de son silence s'il n'avoit pas sçu que des marques de reconnoissance sont une étourderie tant qu'une femme peut désavouer les idées dont on la remercie. Elle entra dans une pièce suivante, et elle y trouva un autre écueil. Cette pièce est un boudoir, lieu qu'il est inutile de nommer à celle qui y entre, car l'esprit et le cœur y devinent de concert. Toutes les murailles en sont revêtues de glaces, et les joints de celles-ci masqués par des troncs d'arbres artificiels, mais sculptés, massés et feuillés avec un art admirable. Ces arbres sont disposés de manière qu'ils semblent former un quinconce; ils sont jonchés de fleurs et chargés de girandoles dont les bougies procurent une lumière graduée dans les glaces, par le soin qu'on a pris, dans le fond de la piece, d'étendre des gazes plus ou moins serrées sur ces corps trans-parens, magie qui s'accorde si bien avec l'effet de l'optique que l'on croit être dans un bosquet naturel éclairé par le secours de l'art. La niche où est placée l'ottomane, espèce de lit de repos qui pose sur un parquet de bois de rose à compartimens, est enrichie de crépines d'or mêlées de verd, et garnie de coussins de différens calibres. Tout le pourtour et le plafond de cette niche sont aussi revêtus de glaces; enfin la menuiserie et la sculpture en sont peintes d'une couleur assortie aux différens objets qu'elles représentent, et cette couleur a encore été appliquée par Dandrillon [1], de manière qu'elle exhale la violette, le jasmin et la rose. Toute cette décoration est posée sur une cloison qui a peu d'épaisseur, et autour de laquelle règne un corridor assez spacieux, dans lequel le marquis avoit placé des musiciens.

Mélite étoit ravie en extase. Depuis plus d'un quart d'heure qu'elle parcouroit ce boudoir, sa langue étoit muette, mais son cœur ne se taisoit pas : il murmuroit en secret contre des hommes qui mettent à contribution tous les talens pour exprimer un sentiment dont ils sont si peu capables. Elle faisoit sur cela les plus sages réflexions, mais c'étoient pour ainsi dire des secrets que l'esprit déposoit dans le

---

1. C'est encore à cet artiste qu'on doit la découverte non-seulement d'avoir détruit la mauvaise odeur de l'impression qu'on donnoit précédemment aux lambris, mais d'avoir trouvé le secret de mêler dans ses ingrédiens telle odeur qu'on juge à propos, odeur qui subsiste plusieurs années de suite, ainsi que l'ont déjà éprouvé plusieurs personnes.

fond du cœur, et qui devoient bientôt s'y perdre. Trémicour les y alloit chercher par ses regards perçans, et les détruisoit par ses soupirs. Il n'étoit plus cet homme à qui elle croyoit pouvoir reprocher ce contraste monstrueux; elle l'avoit changé, et elle avoit plus fait que l'Amour. Il ne parloit pas, mais ses regards étoient des sermens. Mélite doutoit de sa sincérité, mais elle voyoit du moins qu'il sçavoit bien feindre, et elle sentoit que cet art dangereux expose à tout dans un lieu charmant. Pour se distraire de cette idée, elle s'éloigna un peu de lui et s'approcha d'une des glaces, feignant de remettre une épingle à sa coëffure. Trémicour se plaça devant la glace qui étoit vis-à-vis, et par cet artifice, pouvant la regarder encore plus tendrement sans qu'elle fût obligée de détourner les yeux, il se trouva que c'étoit un piège qu'elle s'étoit tendu à elle-même. Elle fit encore cette réflexion, et, voulant en détruire la cause, s'imaginant le pouvoir, elle crut y réussir en faisant des plaisanteries à Trémicour.

« Eh bien! lui dit-elle, cesserez-vous de me regarder? À la fin, cela m'impatiente. »

Il vola vers elle.

« Vous avez donc bien de la haine pour moi? répondit-il. Ah! marquise, un peu moins d'injustice pour un homme qui n'a pas besoin de vous déplaire pour être convaincu de son malheur...

– Voyez comme il est modeste! s'écria-t-elle.

– Oui, modeste et malheureux, poursuivit-il; ce que je sens m'apprend à craindre, et ce que je crains m'apprend à craindre encore. Je vous adore et n'en suis pas plus rassuré. »

Mélite plaisanta encore; mais avec quelle mal-adresse elle déguisa le motif qui l'y portoit! Trémicour lui avoit pris la main, et elle ne songeoit pas à la retirer. Il crut pouvoir la serrer un peu; elle s'en plaignit et lui demanda s'il vouloit l'estropier.

« Ah! Madame! dit-il en feignant de se désespérer, je vous demande mille pardons ; je n'ai pas cru qu'on pût estropier si aisément. »

L'air qu'il venoit de prendre la désarma ; il vit que le moment étoit décisif : il fit un signal, et à l'instant les musiciens placés dans le corridor firent entendre un concert charmant. Ce concert la déconcerta ; elle n'écouta qu'un instant, et, voulant s'éloigner d'un lieu devenu redoutable, elle marcha et entra d'elle-même dans une nouvelle pièce plus délicieuse que tout ce qu'elle avoit vu encore. Trémicour eût pu profiter de son extase et fermer la porte sans qu'elle s'en apperçût pour la forcer à l'écouter ; mais il vouloit devoir les progrès de la victoire aux progrès du plaisir.

Cette nouvelle piece est un appartement de bains. Le marbre, les porcelaines, les mousselines, rien n'y a été épargné ; les lambris sont chargés d'arabesques exécutés par Perot [1] sur les desseins de Gilot [2], et contenues dans des compartimens distribués avec beaucoup de goût. Des plantes maritimes montées en bronze par Cafieri [3], des pagodes, des crystaux et des coquillages, entremêlés avec intelligence, décorent cette salle, dans laquelle sont placées deux niches, dont l'une est occupée par une baignoire, l'autre par un lit de mousseline des Indes brodée et ornée de glands en chaînettes. À côté est un cabinet de toilette dont les lambris ont été peints par Huet [4], qui y a représenté des fruits, des fleurs et des oiseaux étrangers, entremêlés de guirlandes et de médaillons dans les-

---

1. Artiste habile dans le genre dont nous parlons, et qui a peint à Choisi les plus jolies choses dans ce goût.

2. Le plus grand dessinateur de son tems pour les arabesques, les fleurs, les fruits et les animaux, et qui a surpassé dans ce genre Perin, Audran, etc.

3. Fondeur et ciseleur estimé pour les bronzes dont tous les appartemens de nos belles maisons de Paris et des environs sont ornés.

4. Autre peintre célèbre d'arabesques, et particulièrement pour les animaux.

quels Boucher [1] a peint en camayeux de petits sujets galans, ainsi que dans les dessus de porte. On n'y a point oublié une toilette d'argent par Germain [2] ; des fleurs naturelles remplissent des jattes de porcelaine gros bleu rehaussées d'or. Des meubles garnis d'étoffes de la même couleur, dont les bois sont d'aventurine appliqués par Martin [3], achèvent de rendre cet appartement digne d'enchanter des Fées. Cette piece est terminée dans sa partie supérieure par une corniche d'un profil élégant, surmontée d'une campane de sculpture dorée, qui sert de bordure à une calotte surbaissée contenant une mosaïque en or et entremêlée de fleurs peintes par Bachelier [4].

---

1. Le peintre des Graces et l'artiste le plus ingénieux de notre siecle.

2. Orfèvre célèbre et fils du plus grand artiste que l'Europe ait possédé en ce genre.

3. Célèbre vernisseur connu de tout le monde.

4. Un des plus excellens peintres de nos jours en ce genre, qu'il a quitté depuis peu pour devenir le rival de Desportes et d'Oudry, et peut-être les surpasser.

Mélite ne tint point à tant de prodiges ; elle se sentit pour ainsi dire suffoquée, et fut obligée de s'asseoir.

« Je n'y tiens plus, dit-elle ; cela est trop beau. Il n'y a rien de comparable sur la terre... »

Le son de voix exprimoit un trouble secret. Trémicour sentit qu'elle s'attendrissoit ; mais, en homme adroit, il avoit pris la résolution de ne plus paroître parler sérieusement. Il se contenta de badiner avec un cœur qui pouvoit encore se dédire.

« Vous ne le croyez pas, lui dit-il, et c'est ainsi qu'on éprouve qu'il ne faut jurer de rien. Je sçavois bien que tout cela vous charmeroit, mais les femmes veulent toujours douter.

— Oh ! je ne doute plus, reprit-elle ; je confesse que tout cela est divin et m'enchante. »

Il s'approcha d'elle sans affectation.

« Avouez, reprit-il, que voilà une petite maison bien nommée. Si vous m'avez re-

proché de ne pas sentir l'amour, vous conviendrez du moins que tant de choses capables de l'inspirer doivent faire beaucoup d'honneur à mon imagination; je suis persuadé même que vous ne concevez plus comment on peut avoir tout à la fois des idées si tendres et un cœur si insensible. N'est-il pas vrai que vous pensez cela?

— Il pourroit en être quelque chose, répondit-elle en souriant.

— Eh bien! reprit-il, je vous proteste que vous jugez mal de moi. Je vous le dis à présent sans intérêt, car je vois bien qu'avec un cœur cent fois plus tendre que vous ne m'en croyez un indifférent, je ne vous toucherois pas; mais il est certain que je suis plus capable que personne d'amour et de constance. Notre jargon, nos amis, nos maisons, notre train, nous donnent un air de légèreté et de perfidie, et une femme raisonnable nous juge sur ces dehors. Nous contribuons nous-mêmes volontairement à cette réputation, parce que, le préjugé général ayant attaché à notre état cet air d'inconstance et de coquetterie, il faut que nous le prenions; mais, croyez-moi, la frivolité ni le plaisir même ne nous emportent pas toujours : il est des objets faits pour nous arrêter et pour nous ramener au vrai, et, quand nous venons à les rencontrer, nous sommes et plus amoureux et plus constans que d'autres... Mais vous êtes distraite? à quoi rêvez-vous?

— À cette musique, reprit-elle; j'ai cru la fuir, et de loin elle en est plus touchante. (Quel aveu!)

— C'est l'amour qui vous poursuit, répondit Trémicour; mais il ne sçait pas à qui il a affaire... Bientôt cette musique ne sera que du bruit.

— Cela est bien certain, reprit-elle; mais enfin, à présent, elle me dérange... Sortons, je veux voir les jardins... »

Trémicour obéit encore. Sa docilité n'étoit pas un sacrifice. Quel aveu, quelle faveur même vaut pour un amant l'embarras dont il jouissoit! Il se contenta de lui faire voir, en passant, une autre piece, commune à l'appartement des bains et à celui d'habitation. C'est un cabinet d'aisances garni d'une cuvette de marbre à soupape revêtue de marqueterie de bois odoriférant, enfermée dans une niche de charmille feinte, ainsi qu'on l'a imité sur toutes les murailles de cette piece, et qui se réunit en berceau dans la courbure du plafond, dont l'espace du milieu laisse voir un ciel peuplé d'oiseaux. Des urnes, des porcelaines remplies d'odeurs, sont placées artistement sur des pieds d'ouche. Les armoires, masquées par l'art de la peinture, contiennent des crystaux, des vases et tous les ustensiles nécessaires à l'usage de cette pièce. Ils traverserent ensuite une garderobe où l'on a pratiqué un escalier dérobé qui conduit à des entresoles destinées au mystère. Cette garderobe dégage dans le vestibule. Mélite et le marquis repasserent par le sallon. Il ouvrit la porte du jardin ; mais

quelle fut la surprise de Mélite d'appercevoir un jardin amphithéâtralement disposé, éclairé par deux mille lampions. La
verdure étoit encore belle, et la lumière lui
prêtoit un nouvel éclat. Plusieurs jets d'eau
et différentes nappes, rapprochées avec art,
réfléchissoient les illuminations. Trem-
blin [1], chargé de cette entreprise, avoit gra-
dué ces lumières en plaçant des terrines
sur les devans, et seulement des lampions
de différentes grosseurs dans les parties
éloignées. À l'extrémité des principales al-
lées, il avoit dispassé des transparens dont
les différens aspects invitoient à s'en ap-
procher. Mélite fut enchantée, et ne s'ex-
prima pendant un quart-d'heure que par
des cris d'admiration. Quelques instru-
mens champêtres firent entendre des fan-
fares sans se montrer; plus loin, une voix
chantoit quelqu'ariette d'*Issé*; là, une grotte

---

1. Ancien décorateur de l'Opéra et des petits appartemens de Versailles.

charmante faisoit bondir des eaux avec impétuosité; ici, une cascade ruisseloit et produisoit un murmure attendrissant. Dans des bosquets divers, mille jeux variés s'offroient pour les plaisirs et pour l'amour; d'assez belles salles de verdure annonçoient un amphithéâtre, une salle de bal et un concert; des parterres émaillés de fleurs, des boulingrins, des gradins de gazon, des vases de fonte et des figures de marbre marquoient les limites et les angles de chaque carrefour du jardin, qu'une très-grande lumiere, puis ménagée, puis plus sombre, varioit à l'infini. Trémicour, ne marquant aucun dessein et affectant même, comme je l'ai dit, de montrer moins d'ardeur qu'il n'en avoit, conduisit Mélite dans une allée, sinueuse qui lui fit craindre intérieurement quelque surprise. En effet, cette allée, tracée par une courbure subite, ne présentoit plus que des ténèbres. Elle n'eût pas craint d'y entrer si elle se fût sentie indifférente; mais le trouble secret qu'elle éprouvoit lui rendoit tout à craindre. Elle parut effrayée, et sa frayeur redoubla par le bruit d'une artillerie précipitée. Trémicour, qui sçavoit apprécier l'avantage que donne à un homme, en toute occasion, la frayeur d'une femme, la reçut et la serra vivement dans ses bras au mouvement qu'elle fit. Elle alloit s'en dégager avec une vivacité égale, lorsque l'éclat subit d'un feu d'artifice lui montra dans les yeux du téméraire l'amour le plus tendre et le plus soumis. Elle fut un moment immobile, c'est-à-dire attendrie. Ce moment ne fut pas aussi court que l'eût été celui qui eût suffi pour s'arracher de ses bras si elle l'avoit haï, et Trémicour put croire qu'elle avoit non hésité, mais oublié de s'en arracher. Ce joli feu avoit été préparé par Carle Ruggieri [1] ; il étoit mêlé de transparens de couleurs variées, qui, se mêlant

_____

1. Artificier italien de beaucoup de génie, et souvent employé par la cour et les princes.

avec les eaux jaillissantes du bosquet où se donnoit cette fête, formoit un coup d'œil ravissant.

Tout ce spectacle, tous ces prodiges, prêtoient un si grand charme à un homme qui lui-même en avoit beaucoup; des regards amoureux, des soupirs enflammés, s'accordoient si bien avec le miracle de la nature et de l'art, que Mélite, déja émue, fut obligée d'entendre l'oracle qu'il faisoit parler au fond de son cœur; elle écouta cette voix puissante, et elle entendit l'arrêt de sa défaite. Le trouble la saisit. Le trouble est d'abord plus puissant que l'amour : elle voulut fuir...

« Allons, dit-elle, voilà qui est charmant; mais il faut partir; je suis attendue... »

Trémicour vit qu'il ne falloit pas la combattre, mais il ne douta pas de pouvoir la tromper. Il avoit réussi vingt fois en cédant. Il la pressa légèrement de rester. Elle ne le voulut point, elle marchoit même fort vite; mais sa voix étoit émue, ses discours n'étoient pas suivis, et une abondance extrême de monosyllabes prouvoit qu'en fuyant elle s'occupoit des objets de sa fuite.

« J'espère du moins, lui dit-il, que vous daignerez donner un coup d'œil à l'appartement qui est à gauche du sallon...

– Il n'est certainement pas plus beau que tout ce que j'ai vu, dit-elle, et je suis pressée de partir.

– C'est tout un autre goût, reprit-il, et, comme vous ne reviendrez plus ici, je serois charmé...

– Non, dit-elle, dispensez-m'en. Vous me direz comment il est, et ce sera la même chose.

– J'y consentirois, reprit-il; mais nous voilà arrivés. C'est un instant : vous ne pouvez pas être si pressée?... D'ailleurs, vous m'avez promis de tout voir, et, si je ne me trompe, vous vous reprocheriez de n'avoir pas gagné légitimement la gageure.

– Il le faut donc! dit-elle. Allons, Monsieur; vous pourriez bien, en effet, vous vanter de n'avoir perdu qu'à demi... »

Ils étoient déjà dans le sallon; Trémicour en ouvrit une des portes, et elle entra d'elle-même dans un cabinet de jeu. Ce cabinet donne sur le jardin. Les fenêtres en étoient ouvertes; Mélite s'en approcha après avoir donné quelques coups d'œil à l'appartement, et revit, peut-être avec plaisir, un lieu d'où elle venoit de s'arracher.

« Avouez, lui dit-il méchamment, que ce coup d'œil est très-agréable : voilà l'endroit où nous étions tout-à-l'heure... »

Ce mot la fit rêver.

« Je ne conçois pas, reprit-il, comment vous ne vous y êtes pas arrêtée plus long-tems... Toutes les femmes qui s'y sont trouvées ne pouvoient plus en sortir...

– C'est qu'elles avoient d'autres raisons que moi pour y rester, répondit Mélite.

– Vous me l'avez prouvé, lui dit-il. Faites du moins plus d'honneur à cette pièce que vous n'en avez fait au bosquet; daignez la considérer. »

Elle abandonna alors la fenêtre; elle tourna la tête, et bientôt la surprise fit l'attention. Ce cabinet est revêtu de laque du plus beau de la Chine; les meubles en sont de même matière, revêtus d'étoffe des Indes brodée; les girandoles sont de crystal de roche, et jouent avec les plus belles porcelaines de Saxe et du Japon, placées avec art sur des culs-de-lampe dorés d'or couleur.

Mélite considéra quelques figures de porcelaine. Le marquis la conjura de les accepter; elle refusa, mais avec cet air de ménagement qui laisse à un homme tout le plaisir d'avoir offert. Il ne crut pas devoir insister, et il lui fit connoître qu'il sçavoit qu'on ne doit point aspirer à faire accepter le jour qu'on s'est vanté de plaire.

Cette pièce a deux ou trois portes. L'une entre dans un joli petit cabinet faisant pendant au boudoir, l'autre dans une salle à manger précédée d'un buffet qui dégage dans le vestibule. Le cabinet, destiné à prendre le café, n'a pas été plus négligé que le reste de la maison : les lambris en sont peints en verd d'eau, parsemés de sujets pittoresques rehaussés d'or; on y trouve quantité de corbeilles remplies de fleurs d'Italie, et les meubles en sont de moire brodée en chaînettes.

Mélite, s'oubliant de plus en plus, s'étoit assise et faisoit des questions; elle repassoit tout ce qu'elle avoit vu et demandoit le prix des choses, le nom des artistes et des ouvriers. Trémicour répondoit à toutes ses questions, et ne paroissoit pas avoir à lui en faire; elle le louoit, vantoit son goût, sa magnificence, et il la remercioit comme un homme à qui on ne risque rien de rendre justice. L'artifice étoit si bien caché que Mélite, s'affectant de plus en plus et ne considérant bientôt tout ce qui la frappoit que du côté du génie et du goût, oublia réellement qu'elle étoit dans une

petite maison, et qu'elle y étoit avec un homme qui avoit parié de la séduire par ces mêmes choses qu'elle contemploit avec si peu de précaution et qu'elle louoit avec tant de franchise. Trémicour profita d'un moment d'extase pour la faire sortir de ce cabinet.

« Tout cela est réellement très-beau, lui dit-il, et j'en conviens; mais il reste quelque chose à vous montrer qui vous surprendra peut-être davantage.

– J'ai de la peine à le croire, répondit-elle; mais, après les gradations que j'ai vues, rien n'est impossible, et il faut tout voir. » (Cette sécurité est naturelle, et ne surprendra que ceux qui doutent de tout par ignorance ou par insensibilité.)

Mélite se leva et suivit Trémicour. C'étoit dans la salle à manger qu'il la conduisoit. Elle fut frappée d'y trouver un soupé servi, et s'arrêta à la porte.

« Qu'est-ce donc? s'écria-t-elle. Je vous ai dit qu'il falloit que je partisse...

— Vous ne m'avez pas ordonné de m'en souvenir, répondit-il, et d'ailleurs il est très-tard ; vous devez être fatiguée, et, puisqu'il faut que vous soupiez, vous me ferez bien l'honneur de m'accorder la préférence, à présent que vous voyez que vous le pouvez avec si peu de risque.

— Mais où sont donc les domestiques ? reprit-elle ; pourquoi cet air de mystère ?

— Il n'en entre jamais ici, répondit-il, et j'ai pensé qu'aujourd'hui il étoit encore plus prudent de les bannir : ce sont des bavards, ils vous feroient une réputation, et je vous respecte trop...

— Le respect est singulier ! poursuivit-elle ; je ne sçavois pas que j'eusse plus à craindre de leurs regards que de leurs idées. »

Trémicour sentit qu'elle n'étoit pas la dupe du paradoxe.

« Vous raisonnez mieux que moi, lui dit-il, et vous m'apprenez que le mieux est l'ennemi du bien. Malheureusement ils sont renvoyés, et il n'y a plus de remède. »

L'imposture succédoit au paradoxe, et cela étoit visible; mais, quand on a l'esprit troublé, ce sont souvent les choses frappantes qui ne frappent pas. Mélite n'insista donc point; elle s'assit avec beaucoup de distraction en considérant un tour, placé dans un des arrondissements de cette salle, par lequel on servoit aux signes que Trémicour faisoit.

Elle mangea peu et ne voulut boire que de l'eau; elle étoit distraite, rêveuse, triste. Ce n'étoit plus cet enchantement, ces exclamations, par lesquels son attendrissement avoit commencé à se signaler; elle étoit maintenant plus occupée de son état que des choses qui le causoient. Trémicour, animé par son silence, lui disoit les choses les plus spirituelles (nous avons de l'esprit auprès des femmes à proportion que nous le leur faisons perdre); elle sourioit et ne répondoit pas. Il l'attendoit au dessert.

Lorsque le moment en fut arrivé, la table se précipita dans les cuisines qui étoient pratiquées dans les souterrains, et de l'étage supérieur elle en vit descendre une autre qui remplit subitement l'ouverture instantanée faite au premier plancher, et qui étoit néanmoins garantie par une balustrade de fer doré. Ce prodige, incroyable pour elle, l'invita insensiblement à considérer la beauté et les ornemens du lieu où il étoit offert à son admiration; elle vit des murs revêtus de stuc de couleurs variées à l'infini, lesquelles ont été appliquées par le célèbre Clerici [1]. Les compartimens contiennent des bas-reliefs de même matière, sculptés par le fameux Falconet [2], qui y a représenté les fêtes de

---

1. Stucateur milanois qui s'est acquis une grande réputation en faisant le sallon de Neuilly pour M. le comte d'Argenson, et, en dernier lieu, celui de Saint-Hubert pour Sa Majesté.
2. Sculpteur du Roi, célèbre à jamais par ses excellens ouvrages, dont plusieurs ont été exposés dernièrement au Sallon.

Comus et de Bacchus. Vassé[1] a fait les
trophées qui ornent les pilastres de la décoration. Ces trophées désignent la chasse,
la pêche, les plaisirs de la table et ceux de
l'amour, etc. De chacun d'eux, au nombre
de douze, sortent autant de torchières por-
tant des girandoles à six branches qui
rendent ce lieu éblouissant lorsqu'il est
éclairé.

Mélite, quoique frappée, ne donnoit que
des coups d'œil et ramenoit bientôt ses
yeux sur son assiette. Elle n'avoit pas regardé Trémicour deux fois et n'avoit pas
prononcé vingt paroles; mais Trémicour ne
cessoit de la regarder, et lisoit encore mieux
dans son cœur que dans ses yeux. Ses
pensées délicieuses lui causoient une émo-
tion dont le son agité de sa voix étoit
l'interprète. Mélite l'écoutoit, et l'écoutoit
d'autant plus qu'elle le regardoit moins.

---

1. Autre sculpteur du Roi, à qui la légèreté du ciseau
et les graces séduisantes ont acquis tant de réputation.

L'impression que faisoit sur ses sens cette voix agitée l'invitoit à porter les yeux sur celui en qui elle exprimoit tant d'amour. C'étoit pour la première fois que l'amour s'offroit à elle avec son caractère, non qu'elle n'eût jamais été attaquée (elle l'avoit été cent fois); mais des soins, des empressemens, ne sont pas l'amour quand l'objet ne plaît pas; d'ailleurs, ces soins et ces empressemens marquent les desseins, et une femme raisonnable s'est accoutumée de bonne heure à s'en défier. Ce qui la séduisoit ici, c'étoit l'inaction de Trémicour en exprimant tant de tendresse. Rien ne l'avertissoit de se défendre : on ne l'attaquoit point; on l'adoroit et on se taisoit. Elle rêva à tout cela, et Trémicour fut regardé. Ce regard étoit si ingénu qu'il devenoit un signal. Il en profita pour lui demander une chanson. Elle avoit la voix charmante, mais elle refusa. Il vit que la séduction n'étoit encore que momentanée, et il ne se plaignit que par un soupir. Il chanta lui-même; il voulut lui prouver que ses rigueurs étoient des loix auxquelles le grand amour lui donnoit la force d'obéir sans contrainte. Il parodia ces paroles si connues de Quinault, dans *Armide* :

Que j'étois insensé de croire
Qu'un vain laurier, donné par la victoire,
De tous les biens fût le plus précieux!
Tout l'éclat dont brille la gloire
Vaut-il un regard de vos yeux?

Je n'ai pas eu les paroles qu'il suppléa à celles-là, mais elles renfermoient en termes ingénieux l'abjuration de l'inconstance et le serment d'aimer toujours. Mélite parut touchée, et cependant fit une petite grimace.

« Vous en doutez, lui dit-il, et en effet je n'ai pas mérité de vous persuader. Je ne vous ai attirée ici que par mes étourderies; vous n'y êtes venue que sur la foi du mépris le plus juste. Ma réputation s'armeroit contre des preuves, et c'est par des sermens que je débute avec vous! Cependant il est certain que je vous adore. C'est un malheur pour moi, mais il ne finira point. »

Mélite ne vouloit pas répondre; mais, sentant qu'il étoit sincère, qu'elle lui devoit quelque chose, et qu'il alloit être malheureux si elle ne s'acquittoit, elle le regarda encore tendrement.

« Je vois que vous ne voulez pas me croire, reprit-il; mais je vois en même-tems que vous ne pouvez pas tout-à-fait douter. Vos yeux sont plus justes que vous; ils expriment du moins de la pitié...

— Quand je voudrois vous croire, lui dit-elle, le pourrois-je? Oubliez-vous où nous sommes? pensez-vous que cette maison est dès long-tems le théâtre de vos passions trompeuses, et que ces mêmes sermens que vous me faites ont servi cent fois au triomphe de l'imposture?

— Oui, répondit-il, je pense à tout cela;

je me souviens que ce que je vous dis, je l'ai dit à d'autres, et que je l'ai toujours dit avec fruit; mais, en employant alors les mêmes expressions, je ne parlois pas cependant le même langage. Le langage de l'amour est dans le ton; le mien toujours déposa contre mes sermens. Il m'en tiendroit lieu aujourd'hui si vous vouliez me rendre justice. »

Mélite se leva (c'est la preuve infaillible de la persuasion quand on n'est point fausse). Trémicour courut vers elle.

« Où voulez-vous aller? lui dit-il en frémissant; Mélite, j'ai mérité que vous m'écoutiez. Songez combien je vous ai respectée... Asseyez-vous, ne craignez rien : mon amour vous répond de moi...

– Je ne veux pas vous entendre!... lui dit-elle en faisant quelques pas. À quoi ma complaisance aboutiroit-elle? Vous sçavez que je ne veux point aimer; j'ai résisté à tout, je vous rendrois trop malheureux... »

Il ne l'arrêta point; il vit que, se trompant de porte et n'étant plus à elle-même, elle alloit entrer dans un second boudoir. Il la laissa aller, se contentant de mettre le pied sur sa robe lorsqu'elle fut sur le seuil de la porte, afin que, tournant la tête pour se dégager, elle ne vît pas le lieu où elle entroit.

Cette nouvelle piece, à côté de laquelle on a ménagé une jolie garderobe, est tendue de gourgouran gros verd, sur lequel sont placées avec symétrie les plus belles estampes de l'illustre Cochin [1], de Lebas [2] et de Cars [3]. Elle n'étoit éclairée qu'autant qu'il le falloit pour faire appercevoir les chefs-d'œuvre de ces habiles maîtres. Les

---

1. Dessinateur et graveur du premier mérite, qui a succédé avec tant d'éclat au célebre Callot, Labella et le Clerc.

2. Graveur du Cabinet du roi, à qui nous devons la belle collection des œuvres de Tenieres, gravées avec tant d'art par ce célebre artiste.

3. Autre graveur, qui, dans ses ouvrages, exprime avec tant d'art le talent des auteurs qu'il transmet à la postérité.

ottomanes, les duchesses, les sultanes, y sont prodiguées. Tout cela est charmant, mais ce n'est plus de cela que Mélite peut s'occuper. Elle s'apperçut de son erreur et voulut sortir : Trémicour étoit à la porte, et l'empêcha de passer.

« Eh bien! Monsieur, lui dit-elle avec effroi, quel est votre dessein? que prétendez-vous faire?

— Vous adorer et mourir de douleur. Je vous parle sans imposture, mon état est nouveau pour moi... Je sens qu'il me saisit... Mélite, daignez m'écouter...

— Non, Monsieur, je veux sortir; je vous écouterai plus loin...

— Je veux que vous m'estimiez, reprit-il, que vous sçachiez que mon respect égale mon amour, et vous ne sortirez pas! »

Mélite, tremblante de frayeur, étoit prête à se trouver mal; elle tomba presque dans une bergère. Trémicour se jetta à ses genoux. Là, il lui parla avec cette simplicité éloquente de la passion; il soupira, versa des pleurs. Elle l'écoutoit et soupiroit avec lui.

« Mélite, je ne vous tromperai point; je sçaurai respecter un bonheur qui m'aura appris à penser; vous me retrouverez toujours avec la même tendresse, avec la même vivacité... Ayez pitié de moi!... Vous voyez...

— Je vois tout, dit-elle, et cet aveu renferme tout. Je ne suis pas sotte, je ne suis point fausse... Mais que voulez-vous de moi? Trémicour, je suis sage, et vous êtes inconstant...

— Oui, je le fus : c'est la faute des femmes que j'ai aimées; elles étoient sans amour elles-mêmes. Ah! si Mélite m'aimoit, si son cœur pouvoit s'enflammer pour moi, jamais elle ne se rappelleroit mon inconstance que par l'excès de mon ardeur. Mélite, vous me voyez, vous m'entendez, et voilà tout mon cœur! »

Elle se tut, et il crut qu'il devoit abuser de son silence. Il osa... mais il fut arrêté avec plus d'amour qu'on n'en a souvent quand on cede.

« Non! dit Mélite; je suis troublée, mais je sçais encore ce que je fais : vous ne triompherez point... Qu'il vous suffise que je vous en crois digne; méritez-moi... Je vous abhorrerois si vous insistiez!

– Si j'insistois!... Ah! Mélite...

– Eh bien! Monsieur, que faites-vous?...

– Ce que je fais...

– Trémicour, laissez-moi!... Je ne veux point...

– Cruelle! je mourrai à vos pieds, ou j'obtiendrai... »

La menace étoit terrible, et la situation encore plus. Mélite frémit, se troubla, soupira, et perdit la gageure.

Le Théâtre des cinq sens

par Bruno Pons

Les qualités de *La petite maison* se sont révélées avec le temps et sont autant historiques que littéraires. Le conte moral de Jean-François de Bastide est le reflet d'aspects du goût tellement évidents à ses contemporains que ceux-ci ont bien souvent omis d'en témoigner.

Peu d'œuvres littéraires, peu de pièces de théâtre font précisément allusion au cadre des actions et des passions. Les illustrateurs des frontispices des éditions de ces contes moraux ou de ces pièces de théâtre évoquent des caractères dans des intérieurs, sans souci de parvenir véritablement à esquisser une certaine réalité du décor d'une époque précise, restant en cela dans la tradition et la veine du théâtre du XVIIe siècle, où l'on évoquait l'Antiquité en costumes contemporains. C'est pourquoi on serait tenté de croire que Bastide a fait de même dans sa *Petite maison,* qu'il a évoqué un lieu sans réalité, intemporel, à la manière de ces gravures de François Boucher mettant en scène les personnages de Molière, dans un décor vaguement esquissé. Ce n'est qu'en étant attentif aux détails que l'on prendra conscience que Bastide a agi autrement.

En fait, de quoi s'agit-il? De l'histoire d'une conquête comme dans des milliers de pages de la littérature – bonne ou mauvaise – du XVIIIᵉ siècle, d'une entreprise amoureuse, car d'entreprise et de calcul il est véritablement question, même si d'amour il ne convient point de trop parler.

Pour vaincre la résistance d'une belle ou d'une coquette, le charme du marquis de Trémicour n'a pas suffi. Il lui faut favoriser l'action par une ambiance, enivrer les sens de luxe et de nouveauté, provoquer la surprise encore et sans cesse, jusqu'à raison abandonner : surprendre l'ouïe quand l'œil est rassasié, puis flatter l'odorat, depuis que le goût a été excité, pour finalement satisfaire le toucher. Ce *Théâtre des cinq sens* a pour lieu la petite maison du marquis de Trémicour sur les bords de la Seine, un lieu discret à l'architecture simple dont l'aménagement inspire la volupté. Les références sont précises, le détail sans cesse présent, car le détail en appelle aux sens plus qu'à l'esprit, comme l'objet rend plus sensible la vue générale.

Le sujet de *La petite maison* n'est pas seulement un sujet d'études de mœurs. Pour le lecteur du XXe siècle, afin de ne pas se méprendre, il faut se replacer dans un contexte qui impose une autre vision : l'usage et la définition de la petite maison. Le marquis de Trémicour n'aurait pu parvenir à ses fins ni dans son hôtel ni dans son château, peut-être pas même dans sa maison de plaisance que l'on différencie de la petite maison. A chaque type de demeures correspond une fonction au XVIIIe siècle.

Dans les maisons de ville, le luxe, au tournant du milieu du siècle, a tendance à céder le pas au fastueux hérité encore du Grand Siècle, jusque dans les maisons aristocratiques, dont l'hôtel est le signe de la puissance actuelle. Le château et sa seigneurie sont au contraire les signes de l'antiquité de la puissance, et de la confiance héritée du roi et des ancêtres. De plus grands châteaux de ministres ou de grands favoris récemment distingués peuvent aussi marquer une faveur nouvelle destinée à se perpétuer dans la descendance future, comme un renouvellement de l'Histoire, distinguant de nouveaux venus destinés à établir des générations futures, mais plus on avance dans le siècle, plus le doute d'une telle réalité survient. Entre le château de représentation des nouveaux favoris, et le château antique où le confort et les aménagements luxueux n'ont pas la place qu'ils connaissent dans les hôtels parisiens, se situent les maisons de plaisance. Ces nouvelles maisons faites pour l'agrément auxquelles Blondel a consacré un traité entier d'architecture, *De la distribution des maisons de plaisance,* paru en 1737, donneront le ton pendant quelques décennies à l'Europe entière.

Autour de Paris, leur luxe tient surtout à leur emplacement, à la vue sur la Seine, dans une île ou une grande courbe du fleuve. Alors, de Saint-Ouen à Clichy, de Neuilly à Passy et à Sèvres, de Montrouge à Bercy vont se développer, dans des campagnes qui ont toujours d'un côté la ville en fond de décor, et de l'autre une vue sans fin,

ces maisons de plaisance, ces *Vignes,* ou ces *Folies.*
Ce sont des maisons de ville champêtres. Elles
ne sont pas réellement à la campagne, mais sont
bien évidentes aux yeux de tous, dégagées de
tous côtés, fières d'arborer un certain luxe architectural annonçant un raffinement de bon ton
dans les intérieurs. Le maître y reçoit la cour et
la ville dans des appartements richement décorés,
la vie y est celle de la société, non pas celle de
la vie rustique et de la campagne, c'est encore
l'empire du salon et de la discussion sans fin, du
théâtre et de la musique d'amateur, des nœuds
et de l'aiguille, de la partie champêtre et de la
cueillette des fruits du verger, et non l'empire
de la chasse.

Qu'en est-il de la petite maison qui n'appartient à aucun de ces genres, mais qui s'apparen-
terait parfois à quelques pavillons placés à l'écart
dans certains de ces domaines, quelques *Trianon*
où l'on vient prendre le café ou vaincre la chaleur ?

Une petite comédie, attribuée au président
Hénault, imprimée en 1749 mais jouée dès 1740
par des enragés du théâtre de société comme le

comte de Clermont, MM. de Rochefort et de Luxembourg devant des amis de Voltaire comme d'Argental ou la maréchale de Villars dans une salle des Porcherons, s'intitule déjà *La petite maison*. La conversation donne la définition de la petite maison, soulignant déjà l'évolution de ce type de demeures au XVIIIᵉ siècle, quelques années avant que Bastide ne s'empare du sujet. L'action se passe dans la petite maison de Valère, qui succède au marquis de La Grivoisière, et trompe la confiance de son ami Clitandre avec la maîtresse de ce dernier, Cidalise. Au premier acte, le dialogue est engagé par La Montagne, intendant de Valère et Frozine, camériste de Cidalise.

FROZINE : Il est vrai que ton métier exige une grande discrétion. Que tu as beaucoup à t'observer, et que cela ne laisse pas de gêner. Par exemple, quand tu viens dans cette petite maison, il faut prendre garde qu'on ne t'y voye entrer, pour qu'on ne sache pas dans le quartier qu'elle appartient à ton Maître.

LA MONTAGNE : Que veux-tu donc dire avec ta discrétion ? Je crois que tu te mocques de nous. Ah ! ma pauvre Frozine, tu t'es bien rouillée pendant deux ans de province, et pourquoi du mystère ?

FROZINE : Apparemment que ton Maître en met à ses bonnes fortunes.

LA MONTAGNE : Lui, point du tout.

FROZINE : Et à quoi lui sert-il donc d'avoir une petite maison? Il me semble qu'elles n'ont été inventées que pour venir à la dérobée, et y attendre les personnes que l'on ne pourrait voir chez elles sans conséquence.

LA MONTAGNE : Cela étoit bon du temps du roi Guillemot. Aujourd'hui, une petite maison n'est qu'une indiscrétion de plus : on sait à qui elle appartient, ce qui s'y passe, les personnes qui y viennent comme dans une maison de ville; et, excepté qu'il n'y a pas sur la porte en lettres d'or : *Hôtel de Valère* c'est toute la même chose. Encore je ne désespère point que la mode n'en vienne...

La définition est complétée à l'acte IV par le dialogue entre la tante de Cidalise, Araminte et le jardinier Mathurin :

ARAMINTE : N'est-ce pas ici ce que l'on appelle une petite maison?

MATHURIN : C'est une maison qui n'est pas bien grande.

ARAMINTE : Oh! non j'entends bien... Je me sens dans une joie d'être dans une petite maison et puis en même temps j'ai une frayeur... on dit...

MATHURIN : Et de quoi diantre avez-vous peur ? (...)

ARAMINTE : Je ne sais, mais je me figurois que ce devoit être toutes choses singulières ; de ces inventions galantes ; là des devises, des emblêmes, des nains comme dans l'ancienne chevalerie, des fausses portes, des trappes et des guirlandes.

MATHURIN : Eh ! mon Dieu, miséricorde, et où est-ce que tout cela tiendroit ?

ARAMINTE : Enfin tout ce qui annonce la galanterie amoureuse.

Ce mélange de crainte et d'attirance, de fausse confidence et de folle journée propre au genre tant apprécié au XVIIIe siècle en dit déjà long, et le sujet ne manqua pas de trouver des réformateurs. L'abbé Coyer, réclamant plus de morale en son siècle, imagine de prélever un impôt somptuaire sur ces maisons, et va jusqu'à une précision chiffrée qui donne l'étendue du phénomène peu avant 1750 :

« Pour avoir une grande maison il ne faut que 30 000 livres de rente, mais pour en avoir une petite il en faut 100 000. C'est ordinairement un azile de plaisir et d'abondance ; n'est-il pas juste d'y prendre quelque chose pour le bien public ? De compte fait, il entre douze *agréables* et quatre femmes par semaine, ou la même femme quatre fois. Le propriétaire paiera une livre par homme et trois livres par femme, n'y entrât-elle que pour faire des nœuds.

Ainsi 500 petites maisons à 24 livres par semaine, donneront 624 000 livres par an. Les jours où le propriétaire ira souper dans sa petite maison avec sa femme, ses enfants ou son curé, ne seront pas sujets à la taxe [1]. »

Le phénomène nouveau est donc celui de la relative publicité de ces maisons qui ne doivent pas être trop loin de Paris afin de pouvoir être gagnées rapidement dans la soirée pour le souper. Il y a alors très certainement extension du phénomène. Des inspecteurs de police sont particulièrement chargés de la surveillance des mœurs de leurs occupants à partir de 1747 ; et de 1752, date une liste établie de façon systématique dans Paris par ces inspecteurs afin de savoir à qui ces maisons appartiennent.

La vie galante fait partie d'un certain statut

---

1. Abbé J.-F. Coyer, *Découverte de la pierre philosophale,* 1748, p. 9.

social et réunit la noblesse d'épée, la noblesse de robe ou la finance. On expose désormais ses liaisons – ou plus exactement certaines de ses liaisons –, comme on est fier d'un équipage. Les rapports de police bruissent de grands noms et de petites manies des comtes de Charolais, de Clermont, du duc de Chartres, des princes de Conti et de Soubise, des ducs de Gramont et de Coigny, de magistrats comme le neveu du chancelier Séguier ; mais ils sont battus par les fermiers généraux Dangé, Bouret, Lenormant d'Étioles, La Bouëxière, Magon de la Balue, nouvelle preuve que liaison et petite maison sont des signes sociaux de richesse.

A la petite maison il faut associer le petit souper, qui n'est pas toujours forcément dans la veine des soupers adamiques du maréchal duc de Richelieu.

Aux repas fastueux que la grandeur apprête, dont la gravité fait les honneurs, on a substitué ces petits soupers fins que le bon goût et la délicatesse préparent, dont l'amour fait les frais et que la liberté assaisonne... il n'y a pas à Cythéropolis un homme de bon ton qui n'aît deux ou trois fois par semaine sa petite partie, arrangée avec des mets choisis, pour un petit souper dans une petite maison [1]. »

Mais c'est bien sûr à propos des célèbres soupers du duc de Richelieu que le marquis d'Argenson a rapporté une anecdote relative à sa petite maison de Vaugirard :

« Hier, M. de Richelieu donna un grand souper à sa petite maison... tout y est décoré avec la plus galante obscénité. Les lambris surtout ont au milieu de chaque panneau, des figures fort immodestes en bas-relief. Le beau du début de ce souper étoit de voir la vieille duchesse de Brancas qui vouloit voir ces figures, mettre ses lunettes, et, avec une bouche pincée, les considérer froidement, pendant que M. de Richelieu tenoit la bougie et les lui expliquoit [2]. »

Les villages proches de Paris, comme Vaugirard, le quartier des Porcherons vers Clichy, Passy ou le faubourg Saint-Antoine accueillaient ainsi discrètement d'illustres visiteurs des maisons ducales, de la finance. Dans ce quartier elles voi-

---

1. Magny, *Les spectacles nocturnes,* Paris, 1756.
2. Marquis d'Argenson, *Mémoires,* édition Rathery, Paris, 1859, t. II, p. 199.

sinaient aussi avec quelques-unes de ces maisons réservées à l'amour vénal [1], plus encore surveillées par la police, où le duc de Fronsac, fils du maréchal de Richelieu, avait quelques habitudes, mais qui ne doivent pas être confondues avec la petite maison, dont le décor recherché a été disposé par son propriétaire, et ne sert qu'à lui.

Bonnier de La Mosson, trésorier des États du Languedoc, était possesseur d'un château magnifique près de Montpellier, et d'un somptueux hôtel à Paris, où il n'avait jamais manqué de se montrer avec sa maîtresse avant son mariage; il avait aussi sa petite maison aux Porcherons, dont on ne sait pas grand-chose alors que son hôtel et son château étaient largement ouverts. C'est cependant de là qu'à une heure du matin, le 26 juillet 1744, on dut se précipiter à bride abattue pour trouver un homme de loi, réveiller le notaire Morin, afin que Bonnier ait tout juste le temps de dicter son testament avant d'expirer [2].

---

1. E.-M. Benabou, *La prostitution et la police des mœurs à Paris au* XVIIIe *siècle,* Paris, 1987.

2. Br. Pons, « Hôtel du Lude », dans *La rue Saint-Dominique, hôtels et amateurs,* Exposition, Paris, Musée Rodin, 1984, p. 151.

Sa petite maison ne semblait pas seulement être une maison des champs pour respirer le bon air, on a pour preuve un écho qui montre à quel point celle-ci fut immédiatement convoitée par un Mailly-Nesle, au moment où les sœurs Mailly se succédaient dans le cœur du roi :

« 29 septembre 1744. Le marquis de Nesle se donne de grands mouvements pour avoir la petite maison de Bonnier, rue de Clichy, aux Porcherons. Elle est meublée au mieux et remplie de tout ce qui peut servir à la commodité et même à la volupté [1]. »

Le terme même de petite maison joue aussi au XVIIIe siècle sur les mots, car les petites maisons sont les lieux d'enfermement des fous, un endroit où l'on vous emmène et d'où l'on ne sort pas. On se prend parfois à donner un pluriel à cette petite maison où l'amour aussi fait perdre la raison. Présentées de façon comique ainsi, *Les petites maisons* sont un opéra de Carolet représenté

1. Voir G. Capon, *Les petites maisons galantes de Paris au XVIIIe siècle,* Paris, 1902. Introduction par R. Yves-Plessis p. I-XV.

une seule fois à la Foire Saint-Germain en 1732, tandis que Louis-Abel Beffroy de Reigny publiera sous couvert de la peu conventionnelle maison ducale de Bouillon : *Les petites maisons du Parnasse, ouvrage comico-littéraire d'un genre nouveau en vers et en prose par le Cousin-Jacques, traduit de l'arabe donné au public par un drôle de corps,* en 1783-1784.

Au fur et à mesure que l'on s'avance dans le xviiie siècle, les relations discrètes deviennent plus publiques, souvent provocatrices et délibérément impies. Un proverbe de Mérard de Saint-Just devait, semble-t-il, être représenté le jeudi de Carême sur le théâtre privé de Mlle Guimard. Une impure pour laquelle Ledoux venait de bâtir un hôtel en forme de temple de Terpsichore bien visible de tous, dont l'origine des fonds ne devait pas tout aux cachets des spectacles.

Ce proverbe, digne de l'Enfer de la bibliothèque nationale, démarque sans vergogne la pièce attribuée au président Hénault en lui substituant autour de Mlle de Lesbosie des noms de personnages dans la plus grande tradition de corps de garde gaulois ; il devait s'intituler *La folle journée,* mais fut finalement publié sous un titre explicatif, *Œuvres de la marquise de Palmarèze. L'esprit des mœurs du* XVIIIe *siècle ou* la Petite Maison, *proverbe en 2 actes et en prose, traduit du Congo. Il fut représenté à la cour du Congo et il devait l'être en 1776, le jeudi de la première semaine de Carême, sur le théâtre de Mlle Guimard, s'il en faut croire le manuscrit trouvé à la Bastille, le 15 juillet 1789,* IIIe *édition.*

On y retrouve la conversation entre le valet et la soubrette, remarquant combien il est facile de s'accommoder d'une petite maison dans laquelle il est possible de souper en tête à tête dans la plus grande liberté et sans scandale, puisqu'une femme qui se respecte a le cœur tendre et l'esprit libertin – la définition même que donne Bastide de Mélite –, y peut goûter des « plaisirs que n'interrompt jamais l'œil malin du public ». Dans ces petits réduits clandestins, le secret qui fait sentinelle ne laisse entrer que le plaisir et l'aimable libertinage, laissant la sagesse consignée à la porte.

L'intimité est l'une des recherches du XVIIIe siècle ; parce que le mode de vie rend difficile le respect de grands secrets dans un système de société où un gentilhomme, ou même un bourgeois, est toujours accompagné dans ses déplacements et dans sa vie quotidienne. Trémicour est d'ailleurs venu dans sa petite maison au vu et au su de sa Maison, qu'il congédie un moment pour rester seul avec Mélite. C'est l'époque où, pour essayer de souper sans témoins mais non pas sans service, le mécanicien Guérin met au point la table volante pour le roi Louis XV au château de Choisy (1754-1756). En Suède, c'est dans un petit pavillon peu distant du pavillon chinois, lui-même maison de plaisance écartée d'un grand domaine royal, qu'une table s'enfonçant dans le sol pour être servie dans les étages inférieurs a été installée pour le service du roi de Suède, sans que les valets puissent savoir qui soupe au-dessus de leurs têtes. (On notera que l'époque de la réédition de *La petite maison* au XIXe siècle par le Bibliophile Jacob est celle de la construction d'une table volante pour le roi Louis II de Bavière.)

Le conte de Bastide est surtout remarquable par la précision avec laquelle il fait description des aménagements artistiques de la maison, de ses différentes pièces, d'un appartement des bains, de son jardin, de sa décoration, des meubles. Il donne pour notre plus grand bonheur les noms des artistes et des artisans précisant par des notes à ses contemporains qui ils sont. Ces notes rédigées par Bastide figurent déjà dans l'édition de 1758 dans *Le nouveau spectateur,* éditée à Amsterdam, mais diffusée à Paris en volumes ou par petits cahiers.

Ces précisions, peu habituelles dans la littérature, témoignent d'une sensibilité particulière de l'auteur aux ambiances. Il est vrai que Bastide appréciait l'architecture et la peinture, les collections, aimait citer Cochin revenant d'Italie, sans pour autant avoir appartenu aux cabales des salonniers qui vont animer ou empoisonner la fin du siècle. Il donnera en 1766, sous le titre du *Temple des arts,* une description élégiaque d'une collection d'un amateur hollandais, Braamcamp [1], riche en tableaux importants que les grands collectionneurs comme M. de Jaucourt, le

---

1. J.-F. Bastide, *Le temple des arts ou le cabinet de M. Braamcamp,* Amsterdam, 1766.

comte d'Argenson, le marquis de Voyer, le prince de Condé, le comte de Coigny, ou des artistes comme François Boucher et Thomas Desfriches ne manquaient pas d'aller visiter lorsqu'ils se trouvaient aux Pays-Bas. Plus tard, en 1774, il mettra en forme un texte de Blondel, *L'homme du monde éclairé par les arts,* sorte de critique de l'architecture et des arts contemporains sous forme de correspondance à clé [1]. Enfin Bastide servit le duc de Choiseul, l'une des grandes personnalités dans le monde des collectionneurs et d'un mécénat bien compris.

L'environnement que l'on vient d'esquisser place Bastide à la croisée des changements importants qui vont se faire jour dans les arts en général, dans la critique d'art en particulier vers 1750. Et il faut voir les mérites de l'œuvre de Bastide en ce qu'elle rend compte de ces changements.

Dans le cours d'architecture que Blondel a

---

1. *L'homme du monde éclairé par les arts par M. Blondel, Architecte du roi, professeur royal au Louvre, membre de l'académie d'architecture, publié par M. de Bastide,* Amsterdam, 1774.

professé à ses élèves avec grand succès justement dans ces années (mais publié plus tardivement), le théoricien de l'architecture française définit la petite maison, comme une maison de plaisance d'un type particulier. Mais il l'imagine très ouverte, facile à visiter, un petit temple des luxes, une vraie maison d'agrément, au milieu d'un jardin, une maison de plaisance de petite taille. La description, le principe diffèrent donc fortement de la discrétion, et de la société restreinte voire de la destination libertine que l'on a pu attacher à la petite maison jusque-là.

« On peut ranger encore dans la classe des maisons de plaisance, celles ordinairement connues sous le nom de *Petites Maisons* : le caractère de ces jolies habitations doit se puiser dans le genre agréable, puisqu'elles sont destinées pour la plupart au délassement et pour la retraite des personnes aisées et des hommes du monde. Ici les ordres d'architecture délicats, les ornements de sculpture les plus intéressants ; les statues, les bas-reliefs, les trophées les plus élégants doivent briller dans les dehors ; la peinture, la dorure, les glaces dans les dedans ; les beautés du jardinage, l'effet séduisant des eaux, les berceaux de treillage naturels et artificiels : enfin tout ce que peut offrir d'ingénieux le ciseau des plus habiles Artistes doit être employé dans les promenades de ces demeures consacrées au plaisir et à la liberté [1]. »

Liberté, mais non libertinage ? Rien de ce que l'on a vu jusqu'à présent, mais il faut savoir lire entre les lignes un peu plus loin dans ce traité d'architecture, et reconnaître la distance qui sépare l'usage de la théorie :

« Néanmoins, poursuit Blondel, ici, comme partout ailleurs, il faut éviter tout ce qui peut avoir trait à la licence, l'Architecte instruit ne doit jamais user de ces ressources honteuses ; jamais il ne doit permettre aux autres Arts qu'il associe à ses besoins, aucune liberté de cette espèce. Les indécences sont plus capables de révolter la pudeur des personnes de dehors qui les viennent visiter, que de leur annoncer le génie des hommes à talents. »

La licence n'est pas ici prise au sens architectural. Blondel donne en exemple la folie La Bouëxière. Il ne l'a peut-être visitée qu'en compagnie de l'architecte et n'y vit ou feint d'y voir

---

1. Jacques-François Blondel, *Cours d'architecture,* Paris, 1771, t. II, p. 251-252.

qu'un petit temple d'Apollon; les rapports des inspecteurs de police témoignent en revanche que Gaillard de La Bouëxière y appréciait la compagnie des danseuses [1].

Bastide, avec sa *Petite maison,* publiée en 1758, mais probablement rédigée depuis quelques années déjà, rend surtout compte de la transformation des esprits vers 1750-1758, et la quête d'un authentique art moderne.

Le doute s'était peu à peu imposé des errements du goût dans les années 1740, d'un goût cédé avec trop de facilité ou de complaisance aux caprices de commanditaires trop lointains des artistes ou laissés aux mains d'intermédiaires sans connaissances. On commence en effet à s'inquiéter de l'emprise trop forte de la mode sur l'architecture, d'une course perpétuelle aux effets forts et nouveaux qui doivent immanquablement essouffler la bonne architecture. Si l'on se prend à rêver du passé, c'est pour revoir planer *l'ombre du grand Colbert,* qui avait mené la politique artistique de l'État, et pour mieux s'apercevoir

---

1. C. Piton, *Paris sous Louis XV, rapports des inspecteurs de police au Roi,* Paris, 1905-1916, t. III, p. 427-428.

que le règne de Louis XV s'avance et qu'une telle politique n'est pas menée, même si justement sous l'influence de Mme de Pompadour et de son frère le marquis de Marigny les choses vont évoluer.

Ces années sont surtout celles des nouveaux espoirs. Une croyance assez répandue fait notamment beaucoup espérer du financier éclairé par des conseillers proches, qui possède les moyens de passer les commandes, n'a plus honte de montrer son luxe, et sait être moins distant, plus passionné, avec les artistes. Le héros de *La petite maison* n'est pas un financier cependant, mais sa maison a été entièrement laissée aux artistes qui comptent dans les années 1750. Ainsi plus qu'une maison particulière décrite, la petite maison de Trémicour paraît être inspirée de plusieurs réalisations qui ont marqué les contemporains, d'un moment où se fait jour un contraste saisissant entre une architecture moderne classique, tandis que les objets demeurent rococo.

Son inspiration lui vient de réalisations récentes. La petite maison de Charles-François Gaillard de La Bouëxière (1753-1754) élevée vers

Clichy, à la barrière Blanche, citée par Blondel comme modèle, était dans sa première version un tout petit pavillon dans un grand jardin orné d'une grande collection de sculptures. Certains y virent un petit temple d'Apollon. Les décors y furent d'un grand luxe car proches de la ville, mais faisant appel, parce que situés en pleine nature, à des motifs imitant la nature, des cadres de glace et des consoles simulant des feuillages comme dans le boudoir décrit par Bastide. Les dessins en avaient été donnés par Mathieu Le Carpentier, architecte cité par Bastide, dans les notes de *La petite maison*. Jeune architecte, il est alors plein de promesses, et en lui une certaine partie de la société des amateurs voit poindre, avec quelques autres, la génération de la rénovation de l'architecture en France.

La maison fut plusieurs fois transformée par la suite par son premier propriétaire, dont ce fut l'amusement, au grand dépit de Le Carpentier.

Blondel distinguait cette œuvre parce qu'elle était sans indécence; elle ne le resta pas toujours, puisque au moment d'être démolie en 1844 elle passait pour posséder quelques décorations « tant soit peu scandaleuses[1] ». Pour cette demeure, Noël Hallé avait exposé au salon de 1753 des dessus-de-porte figurant les parties du jour, mais les plafonds avaient été peints par Le Lorrain, le peintre fameux qui donna les dessins du mobilier de Lalive de Jully (1756-1757). C'est cependant encore Noël Hallé qui avait peint le plafond du grand salon circulaire de l'hôtel de Montmorency-Luxembourg, dont les boiseries avaient été sculptées par Dominique Pineau, dirigés par le même Mathieu Le Carpentier, tous artistes cités par Bastide. Le salon circulaire devait donc beaucoup ressembler à celui de Trémicour dont la voûte en calotte est aussi peinte par Hallé.

Une autre des œuvres de Le Carpentier paraît avoir encore inspiré Bastide, le pavillon du roi élevé par le fermier général Étienne-Michel Bouret en forêt de Fontainebleau, non pas une petite maison, mais plutôt une maison de plaisance destinée à servir d'étape aux chasses du roi, et dont les décors souvent en stuc offraient de somptueux trophées. Une nouvelle fois ce bâtiment

---

1. Sv. Eriksen, *Early Neo-Classicism in France,* London, 1974, p. 55, citant *Le Plan,* 9 mars 1844.

établit la réputation de Le Carpentier dont Bastide se fait l'écho, bien qu'a posteriori, l'architecte ne se sentait pas toujours flatté de se rappeler cet édifice dont il disait lui-même « qu'il craignait bien que la réputation ne payât cher les complaisances ».

Les pièces décorées de troncs d'arbres peints, les boudoirs à pans ornés de grandes glaces, les lambris couleur de soufre assortis à des passementeries épinard et or décrivent les réalisations qui fleurissent dans la plupart des maisons alors construites. Les cabinets de laque ne sont en revanche pas une nouveauté, et les peintres d'arabesques cités par Bastide appartiennent aux générations passées, parce que le goût des arabesques n'a pas encore repris en France.

La salle à manger du marquis de Trémicour, outre sa table volante en pleine actualité, est décorée de stucs aux couleurs vives. Elle ne manque pas de rappeler le renouveau des décors de stucs, aussi attachés à un grand nombre de ces réalisations récentes; celles de Le Carpentier qui restera fidèle à ce goût notamment dans les travaux qu'il fera exécuter par Hermand pour le prince de Condé. En 1759, un salon de stuc fut ajouté à la folie La Bouëxière par un élève de Le Carpentier. Mais avec la mention de Clerici, Bastide évoque surtout le salon circulaire du château de Saint-Hubert construit par Ange-Jacques Gabriel pour Louis XV (1756-1757). Le stucateur Clerici s'était déjà fait remarquer chez le comte d'Argenson à Neuilly. Pour Saint-Hubert il avait usé de scagliola imitant un marbre, brèche violette, dont les différents panneaux étaient encadrés de jaune et de vert, servant de fond aux ornements architecturaux des pilastres corinthiens et des guirlandes traités en stuc blanc. D'excellents sculpteurs, comme Falconet, ont participé aux bas-reliefs historiés de ce salon.

Une autre décoration alors prisée fut celle que Contant d'Ivry réalisa pour la jeune duchesse d'Orléans, née Conti, au Palais-Royal (1755-1757). Ici encore on trouve une salle à manger en staff réalisée par Mansiaux, comme chez Mme de Pompadour à Crécy, mais l'une des parties les plus louées fut sans conteste le plafond peint dans ce même appartement par Jean-Baptiste Pierre, premier peintre du duc d'Orléans, non pas comme chez Trémicour une *Morphée,* mais une *Apothéose de Psyché.* Enfin, pour ce nouvel appartement, l'orfèvre François-Thomas Germain se surpassa en faisant œuvre de bronzier en livrant une série de torchères, des bras de lumière et des feux d'une inouïe somptuosité rocaille tandis que le décor architectural annonçait le classicisme. Blondel trouva l'ensemble si ingénieusement réussi qu'il le commenta longuement dans l'Encyclopédie de Diderot et d'Alembert.

On le voit ainsi la fantaisie de Bastide n'est ni si fantaisiste, ni sans intérêt, mais replacée dans son contexte historique retrouve son actualité.

Notes biographiques

Les quelques notes biographiques qui suivent ne sont pas exhaustives ; elles mettent en valeur l'activité des artistes cités ou des œuvres évoquées par Bastide dans *La petite maison,* afin de permettre au lecteur de rétablir les liens qui peuvent être faits entre eux pendant la période précédant la rédaction.

ARMIDE

Opéra de Lully composé sur un livret de Quinault (1686) répété très fréquemment au XVIIIe siècle. On en connaissait alors des extraits par cœur. Le sujet d'*Armide* est repris pour exécution en tapisserie par Charles-Antoine Coypel, et par François Boucher aux manufactures des Gobelins en 1751 et de Beauvais en 1752.

AUDRAN CLAUDE III (1658-1734), PEINTRE, DESSINATEUR

Peintre héritier d'une famille de peintres, dessinateurs et graveurs. Il s'illustrera particulièrement dans le domaine des arabesques nouvelles donnant notamment des cartons de tapisserie pour la manufacture des Gobelins, et peignant des plafonds et des lambris de décors légers à fond d'or puis à fond blanc. Il transforma en France le genre arabesque à la suite de Berain, et connut un immense succès à la fin du règne de Louis XIV puis sous la Régence, collaborant pour les figures avec de nombreux peintres comme François Desportes, Antoine Watteau, Nicolas Lancret, Jean-Baptiste Oudry.

BACHELIER JEAN-JACQUES (1722-1806) PEINTRE

Peintre spécialisé tout d'abord dans la peinture de fleurs, agréé à l'Académie royale en 1750, il est reçu en 1753, expose régulièrement des fleurs, des compositions décoratives et des peintures d'animaux. Après la mort de Chardin, en 1755, il est salué comme son successeur pour la peinture animalière.

Il peindra une suite d'allégories historiques dans l'enfilade des pièces du nouveau ministère des Affaires étrangères à Versailles, pour le duc de Choiseul. Il s'est par ailleurs passionné pour les problèmes techniques de la peinture à la cire.

Parallèlement, dans le domaine des arts décoratifs, il déploie une grande activité comme directeur artistique de la manufacture de porcelaine de Vincennes et de Sèvres, où il dirige les peintres et décorateurs tandis qu'il participe à l'invention du biscuit.

BERAIN JEAN I (1640-1711), DESSINATEUR, ORNEMANISTE

Dessinateur du cabinet de la chambre du roi, Jean Berain s'est surtout fait connaître par les costumes de fêtes et décors d'opéra et de pompes funèbres qu'il donna, ses dessins pour des bateaux, pour des cartons de tapisserie et des meubles souvent exécutés par l'ébéniste Boulle. Rénovateur du genre arabesque en France, nombre de ses dessins furent gravés à la fin de sa carrière puis réédités, assurant sa réputation dans l'Europe entière.

Son fils Jean II Berain (1674-1726) reprit avec moins de génie les activités de son père.

BOUCHER FRANÇOIS (1703-1770), PEINTRE

Reçu à l'Académie royale de peinture en 1734, il connaît une carrière éclatante, presque sans faille jusqu'en 1755, moment où son métier commence à pâlir et à être contesté par la jeune génération. Protégé par Mme de Pompadour, Boucher n'a pas négligé la peinture décorative et a encore donné des modèles de décoration et d'ornements, pour des vases, des montures d'orfèvrerie, des pendules, des porcelaines, sans oublier une importante activité de modèles pour la tapisserie.

CAFFIERI PHILIPPE *DIT* CAFFIERI L'AÎNÉ (1714-1774) SCULPTEUR ET FONDEUR

Bastide, dans sa note, laisse planer le doute de l'identification entre le père et le fils, c'est-à-dire entre Jacques Caffieri le père (1678-1755), grand maître du dessin et du bronze rocaille, de bras de lumière, de feux et de boîtes de pendules et son fils. Philippe poursuivit l'atelier du père, fournit de nombreux or-

101

nements de bronze et d'éléments mobiliers pour les plus grandes commandes de son temps. On retiendra qu'il livra des bronzes pour le mobilier de Lalive de Jully, et livra des bras de lumière en forme de cors de chasse pour le salon du château de Saint-Hubert (1758), puis travailla fréquemment pour le prince de Condé.

CARS LAURENT (1699-1771), GRAVEUR

Célèbre pour ses portraits de genre à l'eau-forte, notamment *La serinette* d'après Chardin.

CLERICI ANTONIO, STUCATEUR

Stucateur et staffeur d'origine lombarde, il se fit remarquer dans l'exécution de pièces entièrement décorées de staff de couleur, et d'ornements architecturaux moulurés dans d'autres teintes. Il travailla pour le comte d'Argenson dans son château de Neuilly, puis réalisa le fameux salon central du château de Saint-Hubert construit par Ange-Jacques Gabriel pour Louis XV. Le grand salon jouait sur les différentes tonalités imitant des marbres précieux, les ornements architecturaux étant laissés en blanc, pour s'allier à de grands bas-reliefs sculptés par les meilleurs artistes du temps. Cette solution avait été préférée en lieu et place de boiseries pour des raisons d'humidité de l'endroit proche d'étangs. Si ces réalisations qui surprirent les contemporains par leur qualité à un moment où ces décors de stuc revenaient à la mode ont disparu, la seule œuvre subsistante de Clerici est celle qu'il réalisa

102

dans un important château de la région parisienne en 1764.

COCHIN CHARLES-NICOLAS (1715-1790) GRAVEUR

Célèbre graveur du XVIII⁰ siècle, qui commit à la gravure notamment les dessins des fêtes et pompes funèbres de son temps, et connut une activité immense d'illustrateur de livres. Mais son activité d'artiste n'a pas suffi à sa réputation. Choisi pour être l'un des accompagnateurs du marquis de Vandières, frère de Mme de Pompadour, destiné à prendre la direction de l'administration des Beaux-Arts en France, lorsqu'il fit le tour de l'Italie pour former son goût (1749-1751). Cochin deviendra entre 1750 et 1770 le personnage central de la théorie des arts en France.

DANDRILLON PIERRE-BERTRAND, PEINTRE VERNISSEUR DOREUR

Reçu maître en 1751, à l'Académie de Saint-Luc, il a surtout distingué son atelier de la rue de la Madeleine, faubourg Saint-Honoré, par la recherche constante de procédés nouveaux pour son art appliqué aux lambris. Il commença par un procédé d'or mat et bruni sur bois sans blanc d'apprêt, examiné par les architectes Blondel et Contant d'Ivry pour l'Académie des sciences, en 1758. Il trouva un procédé de peinture sans odeur puis un autre procédé de peinture d'impression des lambris parfumée selon les couleurs du lambris, réputé pour conserver ses qualités odoriférantes pendant une dizaine d'années. Enfin, installé en 1774 rue Basse du Rempart, il se déclarait inventeur d'une nouvelle peinture sans cire, ni huile ni vernis. En 1768, il a gravé un Livre de trophées, suite de panneaux décoratifs rocaille publiée chez Mondhare.

FALCONET ÉTIENNE-MAURICE (1716-1791), SCULPTEUR

Sculpteur statuaire bien connu, auteur de la Baigneuse. On pourrait être surpris de le voir cité par Bastide pour des œuvres de sculpture décorative et non pour des groupes ou des bustes. Falconet cependant exécuta quelques bas-reliefs : une série représentant les quatre saisons (exposées au Salon de 1751), pour le prince de Soubise, amateur de maisons de plaisance petites et grandes, le bas-relief de la chasse au canard dans le grand salon de Saint-Hubert (1758). Il fut l'auteur du tombeau de Mme Lalive de Jully (1753).

GERMAIN FRANÇOIS THOMAS (1726-1791), OR-FÈVRE, BRONZIER, CISELEUR

Fils du fameux Thomas Germain qui donna à l'orfèvrerie grâce à des productions d'une réelle nouveauté ses lettres de noblesse (mort en 1748). François-Thomas succéda à son père, fournissant une partie de l'orfèvrerie du roi du Portugal, après le tremblement de terre de Lisbonne. Germain fils en 1756-1757 se fit surtout distinguer par des bronzes fournis pour le Palais-Royal en très grande quantité. « Quelle diffé-

104

rence entre ce travail et celui des artisans qui se sont mêlés jusqu'à présent de ce genre de sculpture! Quelle exécution et quel moelleux dans la touche », lit-on dans le *Journal encyclopédique* de juillet 1756. Il resta sans aucun doute le spécialiste de la livraison de toilettes en orfèvrerie mais sa carrière s'assombrit par la suite d'indélicatesses et d'aventures financières.

GILLOT CLAUDE (1673-1722), PEINTRE, DESSINATEUR

Peintre et dessinateur, l'un des plus renommés dans le genre arabesque. Certains de ces dessins furent réédités au milieu du XVIIIᵉ siècle par Gabriel Huquier, témoignant de l'importance rétrospective qui fut accordée à cet artiste tout au long du siècle.

HALLÉ NOËL (1711-1781), PEINTRE

Fils de peintre, Hallé reçut une formation d'architecte avant de s'adonner complètement à la peinture. De retour de Rome en 1744, il est reçu à l'Académie royale en 1748. Il exposa au Salon de 1753 les toiles qui servirent au décor de la petite maison de La Bouëxière, où le Midi était symbolisé par Vénus embrassant l'Amour, « car il n'y a rien de si chaud que l'Amour ». Il reçut la commande du plafond de l'hôtel de Montmorency à Paris bâti par Mathieu Le Carpentier et qui paraît avoir inspiré celui de la petite maison de Bastide. Par la suite une longue carrière lui fit exécuter principalement des sujets d'Histoire, et des sujets religieux. Il fut particulièrement célèbre en son

105

temps mais rapidement oublié par la suite. Néanmoins Bastide introduit le nom de Hallé alors que le peintre est au début de sa carrière et qu'au Salon de 1759, lorsque l'artiste expose *Le danger de l'Amour* et *Le danger du vin,* Diderot estima alors que ces toiles ont le coloris de Boucher, ce qui explique la réflexion de Bastide qui voit en Hallé le successeur de Boucher.

HUET CHRISTOPHE (MORT EN 1759), PEINTRE

Célèbre peintre animalier, qui dans le décor s'est spécialisé dans l'arabesque qu'il avait apprise chez Audran. Il travaillera notamment à Chantilly, réalise le cabinet des singes de l'hôtel de Rohan à Paris et décorera les maisons de plaisance et petites maisons du duc de La Vallière.

ISSÉ

Opéra sur un livret de Houdard de La Motte, musique de André-Cardinal Destrouches (1697), repris fréquemment à l'Opéra, notamment avec un décor de Boucher, et joué au théâtre des petits appartements de Mme de Pompadour à Versailles en 1749. Le sujet est employé par Boucher dans un tableau *Apollon révélant sa divinité à Issé* (Musée de Tours) en 1750, où Issé est un portrait de Mme de Pompadour.

LE BAS JACQUES PHILIPPE (1707-1783), GRAVEUR

A beaucoup gravé d'après des tableaux hollandais appartenant à divers amateurs, et sera surtout le graveur de la série des ports de France d'après les peintures de Vernet.

LE CARPENTIER MATHIEU (1709-1773), ARCHITECTE

Élève de Jacques V Gabriel, il est remarqué en 1750 lorsqu'il donne un projet pour l'hôtel de ville de Rouen – non réalisé – qui d'emblée fait de lui l'un des espoirs du renouveau de l'architecture. Il travaillera essentiellement pour des fermiers généraux et des financiers et deviendra l'architecte du prince de Condé chargé d'une partie de la transformation du palais Bourbon et de l'hôtel de Lassay. Il a construit la petite maison du fermier général François Gaillard de La Boissière (ou Bouëxière) de 1751-1754, modifie le salon de l'hôtel de Montmorency-Luxembourg, construit l'hôtel du fermier général Bouret à Paris (1757) et son pavillon du roi à Croix-Fontaine et travaillera pour le duc de Choiseul.

MARTIN (LES FRÈRES), PEINTRES, VERNISSEURS, DOREURS

En essayant de surprendre les secrets de la fabrication du laque de Chine, les Martin trouvèrent la composition d'un vernis à base de copal bientôt connu sous le nom de vernis Martin, même s'ils ne furent pas les seuls à l'utiliser. Un premier brevet accordé en 1730 leur permit de créer la manufacture de la rue du Faubourg Saint-Martin. Plusieurs manufactures tentèrent aussitôt de s'emparer du procédé, mais en 1744 un arrêt du conseil accorda à Simon Étienne Martin le cadet et Guillaume Martin l'exclusivité de fabrication pendant vingt ans de « toutes sortes d'ouvrages en relief dans le goût du Japon et de la Chine ». Peu de temps après, leur manufacture prit le titre de manufacture royale. En tant que peintres vernisseurs, ils décorèrent aussi des lambris, des voitures, des landaus et eurent plusieurs établissements dans Paris. Louis XV et Mme de Pompadour eurent recours à leurs services dans les années 1750. Le nom de Martin fut alors associé directement à l'idée de luxe en raison du succès et de la création de nouveaux objets. Voltaire dans les *Tu & les Vous* cite

> « Et ces cabinets où Martin
> A surpassé l'art de la Chine ».

Il était bien placé pour en connaître les décors puisque, dès 1738, l'un des élèves de Martin avait été envoyé à Cirey vernir un des plafonds de l'appartement de la marquise du Châtelet, amie de Voltaire. Mirabeau, dans *L'ami des hommes* (1759), montre qu'une des manifestations du luxe et de la mode qu'il condamne consiste entre autres à avoir des voitures vernies par Martin.

PEYROTTE ALEXIS (1699-1769), PEINTRE

Orthographié Perot dans les notes de Bastide, on pourrait penser qu'il s'agissait du peintre d'arabesques Pierre-Josse Perrot (mort en 1750), peintre à la manufacture des Gobelins et aux Menus-Plaisirs, ancien

108

collaborateur de Jean II Berain. Mais la précision de travaux exécutés au château de Choisy permet sans conteste d'identifier au contraire Pierre Alexis Peyrotte, nommé en 1749 dessinateur du Garde-Meuble de la Couronne. Outre un grand nombre de dessins pour des tissus et quelques suites d'ornements chinois qu'il fit graver, Peyrotte se spécialisa dans la création de panneaux peints dans le genre arabesque, mêlant des figures d'animaux et des scènes en camaïeux. Les nombreux travaux qu'il fit pour le château de Choisy ont disparu rapidement, mais subsistent les décorations réalisées pour la salle du Conseil du château de Fontainebleau (1751-1753) où il eut à exécuter les parties décoratives tandis que Boucher, Pierre et Van Loo peignaient les parties figurées. Une autre collaboration de Peyrotte avec Boucher est suggérée par un dessin de l'ancienne collection Houthakker : Peyrotte a composé un panneau arabesque, réservant au centre un cartouche dans lequel devait prendre place une composition par Boucher. Il est, enfin, très probablement l'auteur des parties ornementales des fameux panneaux peints par Boucher (1751) pour le château de Mme de Pompadour à Crécy (New York, Frick collection), cartons de tapisserie pour meubles, qui paraissent avoir été conservés et transformés pour rester une œuvre décorative par elle-même. Par ailleurs Peyrotte aimait la satire et a laissé plusieurs suites de dessins (1760) et caricatures burlesques allant jusqu'à l'anticléricalisme et la scatologie.

Premier peintre du duc d'Orléans en 1752, protégé par le duc de Choiseul et Mme de Pompadour, de Lalive de Jully, du comte de Caylus, a connu une carrière officielle brillante, se consacrant au grand genre de la peinture d'histoire avec un talent parfois inégal. Il peignit une apothéose de Psyché au plafond des appartements de la duchesse d'Orléans, et participa par ailleurs à des décorations de théâtre pour le duc d'Orléans. Outre quelques autres décorations peintes pour des particuliers vers 1750, sa grande œuvre décorative est l'Assomption qu'il peint en 1756 au plafond de la chapelle de la Vierge à Saint-Roch, inaugurée par le marquis de Marigny en personne.

PINEAU NICOLAS (1684-1754) et PINEAU DOMINIQUE (1718-1786), SCULPTEURS ORNEMANISTES

Nicolas Pineau s'est rendu particulièrement célèbre à Paris par l'habileté de ses dessins de décorations et ses sculptures d'ornements qu'il réalise avec grand succès notamment dans les années 1730. Il est considéré comme l'un des grands créateurs de la rocaille. Son fils Dominique, né à Saint-Pétersbourg, alors que son père était au service du tsar Pierre le Grand, continuera l'atelier de son père. Maître en 1739, il devient directeur de l'académie de Saint-Luc le 19 octobre 1749. Après avoir réalisé de nombreuses maisons de plaisance, il participera à plusieurs reprises aux grands chantiers de l'architecte Mathieu Le Carpentier, notamment au salon de l'hôtel de Montmorency-Luxembourg et modifiera profondément son style.

RUGGIERI CARLO

Maître artificier d'une famille italienne qui porta cet art à son comble, ravissant les commandes de la plupart des créations importantes jusqu'à l'époque contemporaine. On a essayé fréquemment au XVIIIe siècle de combiner l'art du feu d'artifice avec des illuminations dans lesquelles des grandes compositions colorées peintes sur des transparents ont eu leur importance.

SÈVE

Pour manufacture de porcelaine de Sèvres. La manufacture créée à Vincennes fut transférée en 1756 à Sèvres. Bastide évoque assez curieusement des girandoles exécutées en porcelaine. On peut penser à des garnitures de cheminées, comportant des vases ou pots pourris agrémentés de porte-bougies, ou encore à des bras de lumière en porcelaine à trois feux, livrés par Sèvres en 1761. Cependant Sèvres ne semble pas s'être lancé dans la création de lustres en porcelaine comme l'a fait sa rivale la manufacture de Meissen, et dont le duc de La Vallière, amateur de maisons de plaisance, posséda, en France, des exemplaires. On préféra en France combiner des figures de porcelaine à des armatures en bronze doré.

Originaire d'une famille de peintres de l'académie de Saint-Luc spécialisée dans une production de copies de tableaux pour décorations, ou de peintures en grand pour les fêtes et les feux d'artifice de la Ville de Paris, Pierre-Robert demeurait pont Notre-Dame, lieu traditionnel des copistes, et fut reçu maître en 1751. Il fut peintre du théâtre des petits appartements du roi ainsi que de l'Opéra. Il avait repris les secrets de vernis et dorures de Neufmaison, célèbre vernisseur de voitures.

VASSÉ LOUIS-CLAUDE (1716-1772)

Sculpteur statuaire, fils de François-Antoine Vassé grand sculpteur ornemaniste de la Régence et du début du règne de Louis XV. Louis-Claude, élève de Bouchardon, fut l'objet de puissantes protections de son temps, du comte de Caylus, de Lalive de Jully et aussi l'enjeu de polémiques. Les œuvres qui lui sont attribuées n'ont pour l'instant qu'assez peu de rapport avec des grands ensembles décoratifs en dehors de décorations d'églises, mais il exposa un modèle de salle d'audience pour l'impératrice de Russie, qui montre qu'il n'avait pas complètement abandonné la tradition de son père.

B. P.

Le Cabinet des lettrés

Ceux qui aiment ardemment les livres constituent sans qu'ils le sachent une société secrète. Le plaisir de la lecture, la curiosité de tout et une médisance sans âge les rassemblent.

Leurs choix ne correspondent jamais à ceux des marchands, des professeurs ni des académies. Ils ne respectent pas le goût des autres et vont se loger plutôt dans les interstices et les replis, la solitude, les oublis, les confins du temps, les mœurs passionnées, les zones d'ombre.

Ils forment à eux seuls une bibliothèque de vies brèves. Ils s'entrelisent dans le silence, à la lueur des chandelles, dans le recoin de leur bibliothèque tandis que la classe des guerriers s'entre-tue avec fracas et que celle des marchands s'entre-dévore en criaillant dans la lumière tombant à plomb sur les places des bourgs.

Le Promeneur a publié

J. R. Ackerley
Tout le bien du monde

Peter Ackroyd
Chatterton
L'Architecte assassin
Premières lueurs

Sybille Bedford
Puzzle

Piero Camporesi
La Sève de la vie

André Chastel
La Grottesque

Giovanni Comisso
Jeux d'enfance
Les Ambassadeurs vénitiens
Les Agents secrets de Venise
Au vent de l'Adriatique

Cyril Connolly et Peter Levi
Meurtre au Gassendi Club

Vincenzo Consolo
Le Retable
Lunaria
La Blessure d'avril
Les Pierres de Pantalica

Marcia Davenport
Les frères Holt

Thomas De Quincey
Les Césars

Norman Douglas
Le Pays des Sirènes

Patrick Leigh Fermor
Les Violons de Saint-Jacques

Sergio Ferrero
Hors saison

Ennio Flaiano
Journal nocturne
Antobiographie du Bleu de Prusse

Friedrich Glauser
L'Inspecteur Studer
Les Premières Affaires de l'inspecteur Studer
Studer et l'affaire du Chinois

Edmond et Jules de Goncourt
Histoire de la société française pendant le Directoire

Frank Gonzales-Crussi
Trois cas de mort soudaine

Philippe Jullian
Les Styles

Molly Keane
Amours sans retour
Chassés-croisés

Giovanni Macchia
Le théâtre de la dissimulation

Luigi Meneghello
Colin-Maillard

Alain Mérot
Retraites mondaines

Carlo Mollino
Polaroïds

Charles Monselet
La Cuisinière poétique

Aldo Palazzeschi
Les Sœurs Materassi
Un prince romain
La Conversation de la comtesse Maria
Allégorie de novembre

Erwin Panofsky
Les Antécédents idéologiques
de la calandre Rolls-Royce

Mario Praz
Goût néoclassique
Une voix derrière la scène

Alberto Savinio
Capri

Wolfgang Schivelbusch
Histoire des voyages en train
Histoire des stimulants

Edith Sitwell
Les Excentriques anglais

Logan Pearsall Smith
Trivia

Dominique Vivant Denon
Voyage en Sicile

❧

Le Cabinet des lettrés

Giovan Pietro Bellori
Vie du Caravage

Jacob Burckhardt
Démétrios, le preneur de villes

Crébillon fils
Le Sylphe

Thomas De Quincey
La Toilette de la dame hébraïque

Li Yi-chan
Notes

Patrick Mauriès
Roland Barthes

Pascal Quignard
La Raison

Racan
Vie de Monsieur de Malherbe

Alberto Savinio
Les Rejets électifs

Robert Louis Stevenson
Charles d'Orléans

Lytton Strachey
Scènes de conversation
Cinq excentriques anglais
La Douceur de vivre

Évrard Titon du Tillet
Vies des Musiciens et autres Joueurs d'Instruments
du règne de Louis le Grand

Voltaire
Vie de Molière avec de petits sommaires
de ses pièces

Composé et achevé d'imprimer
par l'Imprimerie Floch
à Mayenne, le 26 janvier 1993.
Dépôt légal : janvier 1993.
Numéro d'imprimeur : 33434.

ISBN 2-07-072910-9 / Imprimé en France.

63005